12, AVENUE D'ITALIE. PARIS XIIIe

Sur l'auteur

Claude Izner est le pseudonyme de deux sœurs, Liliane Korb et Laurence Lefèvre. Liliane a longtemps exercé le métier de chef monteuse de cinéma, avant de se reconvertir bouquiniste sur les quais de la Seine, qu'elle a quittés en 2004. Laurence a publié deux romans chez Calmann-Lévy, *Paris-Lézarde* en 1977 et *Les Passants du dimanche* en 1979. Elle est bouquiniste à Paris. Elles ont réalisé plusieurs courts métrages et des spectacles audio-visuels. Elles écrivent ensemble et individuellement depuis de nombreuses années, tant pour la jeunesse que pour les adultes. Les enquêtes de Victor Legris sont aujourd'hui traduites dans huit pays. Le premier titre de la série, *Mystère rue des Saints-Pères*, a reçu le prix Michel Lebrun en 2003.

Sang dessus dessous est la réédition de leur premier roman policier à quatre mains, paru en 1999.

CLAUDE IZNER

SANG DESSUS DESSOUS

10/18

Grands détectives

créé par Jean-Claude Zylberstein

Du même auteur
aux Éditions 10/18

Dans la série « Les enquêtes de Victor Legris »

À paraître : Le dragon du Trocadéro

© Claude Izner, 2011.
© Éditions 10/18, Département d'Univers Poche, 2013,
pour la présente édition.
ISBN-978-2-264-05932-1

REMERCIEMENTS

À Françoise Louvet pour ses connaissances parta-
gées des langues vernaculaires.

À Soazig Le Bail pour son soutien sans faille.

À Etia, Maurice, Jaime, Bernard, Rachel, David et Jonathan.

Rien n'est jamais perdu tant qu'il reste quelque chose à trouver.

Pierre Dac, *Les Pensées.*

Avant-propos

Il était une fois en 1998 un bouquiniste du quai des Grands-Augustins nommé Milo Jassy, voisin d'une pulpeuse vendeuse de souvenirs, Henriette Bol, répondant au sobriquet de Stella Kronenbourg.

Déterminé à démêler une affaire de meurtre dans laquelle Jules Verne et Louise Michel tiennent chacun leur rôle, Milo enquête et tombe amoureux d'une photographe, Laura.

Il était une fois en 1889 un libraire de la rue des Saints-Pères nommé Victor Legris, son associé, Kenji Mori, et leur commis, Joseph Pignot. Lorsque le destin confronte Victor à une série de meurtres, il se lance sans hésiter dans des investigations hasardeuses.

Il s'éprend de Tasha Kherson, une jeune émigrée russe, passionnée de peinture, et, en ces dix dernières années du XIXe siècle, il résout vaille que vaille bon nombre de mystères.

Milo Jassy est un lointain descendant de Victor Legris. Tous deux vivent dans la capitale, tous deux entretiennent avec le papier imprimé et les enquêtes criminelles un rapport privilégié. Ils ne se connaissent pas, tant d'années les séparent ! Mais ils sont liés comme pourraient l'être deux frères, ou un père et son fils.

Lequel des deux serait le géniteur de l'autre ? La chronologie voudrait que Victor soit le père de Milo. Victor, cet homme attiré par l'aventure parce qu'il croit tromper ainsi son ennui, Victor l'amoureux jaloux qui craint d'être abandonné. Souvent trop réservé, il est toujours prompt à l'erreur. Il lui manque l'expérience de Milo, un instable qui doute de lui et dont la situation de travailleur indépendant a nettement moins d'avenir que celle d'un libraire du XIXe siècle.

Si Milo et Victor sont nos fils, reconnaissons que Milo est né le premier. Cela lui confère la prérogative d'une certaine sagesse. Son univers est beaucoup moins confortable que celui de Victor, ses lendemains moins assurés.

Qu'ont-ils en commun ? De la tendresse, un certain humour, une désinvolture évidente.

Victor est un naïf qui croit aux bienfaits du progrès. Milo, lui, sait que le XXe siècle fut un des plus meurtriers de l'Histoire.

Tous deux rient. Le rire de Victor est teinté d'espérance. Celui de Milo est plus désabusé, non exempt de cynisme.

Milo naquit dans notre esprit en 1998, Victor en 2000. Victor est donc bien le fils « à rebours » de Milo, un fils encore inconscient de ce que sera l'avenir… qui est notre passé.

Qu'ils soient père, fils ou frères, tous deux n'imaginent pas la vie sans les livres, l'amour, l'humour et quelques cadavres dans des armoires que nous redoutons d'ouvrir à leur place !

Claude IZNER.

1

11 octobre

Le temps semblait marcher au ralenti, elle ignorait s'il s'était écoulé seulement quelques minutes ou davantage depuis qu'elle avait enfoncé le couteau. Elle se redressa, reprit son souffle. Les rayonnages de livres valsaient autour d'elle, elle avait soif, ses muscles la tiraillaient. Elle fit un effort pour enfiler son jean et son pull-over. Ses mains tremblaient si fort qu'elle dut s'y reprendre à trois fois pour nouer les lacets de ses chaussures. À présent elle pouvait le regarder. Il gisait derrière le comptoir, le visage enfoui dans un sac-poubelle, une rigole de sang épais et brillant glissait sur le plancher le long de sa hanche gauche.

Il y a si longtemps que j'attendais ça, pensa-t-elle.

Elle plaça les gros livres reliés au pied du corps, bien alignés, debout sur leur tranche, vérifia qu'elle n'avait rien oublié, éteignit la lampe et sortit par la cour. Elle tourna deux fois la clé dans la serrure avant d'ôter ses gants de latex. Levant la tête vers le ciel sombre, elle vit palpiter une étoile anémique. En elle, il n'y avait aucune place pour la pitié ou le remords, rien qu'un intense soulagement. Elle ajusta les écouteurs de son baladeur sous son bonnet de laine et se laissa envahir par la musique.

2

16 octobre

La femme postée devant la vitrine d'un antiquaire inséra une cassette dans son baladeur. Tout en rythmant le tempo, elle observait les étalages des bouquinistes, de l'autre côté du flot des voitures. Elle portait un long manteau noir, des lunettes teintées, un bonnet de laine, des gants. Elle fumait une cigarette et serrait un paquet sous son bras. Elle ne quittait pas des yeux l'homme tassé sur un pliant devant ses boîtes de livres à l'angle du pont. Tirant une seconde cigarette de sa poche, elle l'alluma au mégot de la première. Elle avait tout son temps.

Le dos à la circulation, Milo Jassy lisait. Cela seul pouvait l'aider à supporter les troupeaux de touristes, les patineurs fous, l'atmosphère polluée de cet après-midi d'octobre. À défaut d'air pur et de silence, il se baladait sur la planète Stockfisch qu'un auteur de science-fiction à l'imagination débridée avait peuplée de poissons surdoués. Hélas, au bout d'une vingtaine de pages, l'action s'embourbait dans une bouillabaisse intergalactique, et Milo abandonna le livre pour le journal de la veille. À la frange de son œil droit, il percevait les allées et venues de Stella Kronenbourg – ainsi avait-il surnommé sa pulpeuse voisine spécialisée dans la vente de tours Eiffel pur laiton et de pins « I LOVE PARIS ». Il devinait qu'une fois de plus elle décapsulait une canette de bière et s'en jetait le contenu derrière la cravate. Il résolut de l'ignorer et se plongea dans la description d'un casse audacieux au cours duquel trois mineurs de quatorze ans avaient braqué une banque.

Un crissement de pneus, un fracas de tôle suivis d'une bordée d'injures lui crispèrent les mâchoires. Ne te retourne pas, se dit-il, résiste, s'il n'en reste qu'un, sois celui-là !

— Faites chauffer la colle ! brailla Stella en se hâtant de rejoindre l'attroupement au bord du trottoir.

Milo allait aborder la page « Spectacles » quand la voix criarde de Stella lui vrilla les tympans.

— T'as vu un peu ce bordel ? Après y diront qu'les bonnes femmes savent pas conduire !

— *Rodrigue, qui l'eût cru ? Chimène, qui l'eût dit ?* marmonna-t-il.

— Hein ?

Les yeux bleus de Stella Kronenbourg – patronyme : Bol, Henriette – s'écarquillèrent.

— C'est de Corneille : *Le Cid.*

— Tu lis trop, Milo, ça te bouffe le cerveau.

— *Ils n'en mouraient pas tous, mais tous étaient frappés*, chantonna-t-il en posant son canard.

Un client lui faisait signe.

Après avoir baissé de dix francs une *Chartreuse de Parme* reliée cuir – « Vous comprenez, c'est pour offrir », avait allégué l'homme –, heureux de participer au cadeau, Milo revint s'asseoir.

— Bifteck ? lança sans s'arrêter Albert, l'un des nombreux SDF qui arpentaient le quai.

— Non, sandwich, grommela Milo, signifiant par là que la recette n'était pas fameuse.

Un régiment d'Espagnols marchant au pas derrière le parapluie haut dressé d'un guide l'obligea à replier vivement les jambes. La marabunta. Où couraient-ils, ces aficionados des tour-opérateurs ? Notre-Dame-Sainte-Chapelle-tour-Eiffel-Louvre-Moulin-Rouge, vite, vite, au pas de charge, le viseur à l'œil, le doigt sur la détente, prêts à mitrailler. Leurs cars empestaient la planète, tout ça pour cavaler sur le macadam des grandes cités tentaculaires !

En regardant passer sur le flanc des bus le torse de Sylvester Stallone tout en muscles huileux, il souhaita vivement qu'un client assoiffé de culture surgisse du sol. Il suivit le vol d'une grappe de mouettes au-dessus de la Seine, mille pensées lui traversaient l'esprit : l'humanité était enfin entrée en ère d'utopie, plus besoin de s'échiner à gratter, seulement baguenauder, badiner, bouquiner, baiser, boire, bâfrer, le monde des B, le grand Barnum and Co. Une femme lui tendit un livre, *Correspondance* de Paul Claudel à Jacques Rivière.

— Vous savez de quoi ça parle ?

Il lui suggéra qu'il pourrait y être largement question de littérature.

— Ah non, ce n'est pas mon thème, je vous le laisse !

Milo enfourna dans sa bouche trois chewing-gums au citron. Depuis deux jours, il s'efforçait de ne plus fumer, c'était sa septième tentative en un an.

Il savait qu'il allait craquer. Serait-ce à la prochaine intervention de Stella ?

Ou alors allumerait-il sa clope après avoir effleuré la main molle de Froggy, l'affreux vieux qui lui proposait régulièrement des romans en loques ?

— Ah, c'est un chouette métier, bouquiniste, vous vendez des livres, mais pour en acheter, peau de balle !

Froggy s'éloigna en traînant la savate et s'affala sur le banc le plus proche. Milo sentit l'exaspération courir le long de son échine. Il se leva d'un bond.

— Henriette, je file au tabac, juste un aller-retour.

— Au tabac, au tabac, est-ce que j'y vais, moi, au tabac ? grogna Stella en regardant d'un air sombre la silhouette avachie de Froggy qui faisait le siège à quelques mètres.

Soudain, surgie de nulle part, une femme à lunettes, coiffée d'un bonnet de laine, fondit sur elle en glapissant :

— Où il est votre mari ?

— Quel mari ? demanda Stella dont le rêve secret du moment était de convoler avec Bruce Willis.

— Le propriétaire du stand, le petit brun aux cheveux dans le cou, celui qui m'a vendu des policiers !

— Milo ? Il est allé boire un verre, il va pas tarder.

— Tous les mêmes, marmonna la femme, je n'ai pas que ça à faire, moi ! Tenez, prenez un air intelligent et donnez-lui ça de ma part. Vous lui direz que quand on est honnête, on ne vend pas de livres incomplets ! C'est pas pour l'argent, il m'avait fait un prix, c'est pour le principe. Et je reviendrai, hein, il me les échangera, vous avez compris ?

Quand Milo regagna sa place, il fut accueilli par une collègue fulminante.

— Je n'ai pas été trop long ? Froggy est parti ?

— Oui, il est parti, aboya Stella. Dis donc, la prochaine fois, tu préviendras tes clientes que j'suis pas l'bureau des réclamations ! J'en ai ras l'bol !

— Elle était comment, cette femme ?

— Une mégère en manteau noir, coiffée d'un bonnet-chat.

— Un quoi ?

— Un passe-montagne, une cagoule, tu connais ? Quand j'étais petite, j'avais la même, ça m'allait rudement bien, c'est ma grand-mère qui me l'avait tric…

— Un bonnet-chat, répéta Milo en retournant le paquet. Je n'y comprends rien, je vérifie toujours la marchandise, ces bouquins ne viennent pas de chez moi.

— Peut-être qu'à force de les lire, tu les boulottes sans t'en apercevoir ! lui lança Stella, ulcérée d'avoir été interrompue.

Il déchira l'emballage et en tira trois romans policiers recouverts d'un protège-livre fait d'une feuille de journal. Des pages manquaient, d'autres avaient été découpées. On eût dit qu'un lecteur insatisfait s'était acharné sur ces exemplaires comme s'il avait un compte personnel à régler avec eux.

— C'est sûrement un canular, grommela-t-il.

Le visage chafouin de Froggy s'imposa à son esprit. Non, impossible, ce vieux râleur n'était pas machiavélique à ce point. Il jeta un coup d'œil suspicieux à Stella Kronenbourg qui dépoussiérait ses boîtes métalliques emplies d'« air de Paris ». Une vraie Walkyrie à la langue aussi musclée que la poitrine, mais à la cervelle plus effacée que le menton.

Il allait poser un des bouquins sur le parapet lorsqu'il remarqua le titre gras sur le papier journal :

RUE DE LA ROQUETTE (11ᵉ)
UN LIBRAIRE DÉCOUVERT ASSASSINÉ
Le corps ensanglanté de M. Roland Fresnel a été découvert hier matin gisant dans sa boutique de livres d'occasion. C'est un voisin, inquiet de ne pas le voir depuis plusieurs jours, qui a alerté le commissariat. Les policiers de la brigade criminelle tentent d'éclaircir le mystère. Les premières constatations ont permis d'établir que le ou les assassins ne sont pas entrés par effraction dans le magasin de la victime.

Un sentiment de totale incrédulité le submergea. Il dut relire plusieurs fois l'article. Alors il crut que sa vision se dédoublait : le même fait divers se détachait sur les couvertures des deux autres polars. Il ôta fébrilement les journaux, les déplia, chercha la date de parution. C'étaient des éditions de la veille, donc le meurtre avait été découvert deux jours auparavant. Complètement sonné, il s'adossa à ses boîtes. Depuis combien de temps Roland et lui ne s'étaient-ils plus adressé la parole ? Au moins deux ans. Ils s'étaient quelquefois croisés aux puces de Vanves ou de Montreuil, se détournant l'un de l'autre, et tout ça à cause d'une brouille, un achat de livres fait en commun dans les profondeurs de la banlieue nord. Roland l'avait soupçonné d'avoir « mis de côté » une pièce de valeur. Cela l'avait profondément blessé. Il savait Roland un tantinet paranoïaque, mais de là à l'accuser, lui, son pote... Roland ne s'excusait jamais, il faisait comme si de rien n'était, passait à l'improviste sur le quai, lui donnait une claque dans le dos et l'invitait au restaurant. Seulement cette fois, leur vieille amitié s'était brisée net. À présent, plus la moindre chance de réconciliation. Roland était mort, assassiné. Pourquoi ? Comment ? Cela semblait parfaitement irréel. Et Nelly ? Est-ce que Nelly savait ?

Il faut que je téléphone, tout de suite.

— Henriette ! Tu jettes un œil ?

— Les deux tant que j'y suis, gronda Stella.

Il remonta la rue Dauphine, s'engouffra dans le tabac, commanda un café et descendit au sous-sol. Il feuilleta le carnet où, quand il y pensait, il notait ses recettes, des propos entendus sur le quai, des adresses. Tout en composant son numéro, il coinça le combiné contre son oreille et défroissa la coupure de presse. Il n'arrivait pas à réaliser. La dernière fois qu'il avait aperçu Roland, c'était à Montreuil, chez Liévain, en juin. En juin ou en juillet ?

— Allô ?… Allô ?… Qui est à l'appareil ?

Il reconnut la voix, l'intonation chantante, son cœur s'emballa.

— Nelly ? C'est moi, Milo.

Il y eut un silence. Il entendait sa respiration à l'autre bout du fil.

— Nelly, tu te souviens encore de moi ? demanda-t-il d'un ton qu'il voulait enjoué.

— Oui, Milo, je me souviens de toi, c'est difficile d'oublier quelqu'un avec qui on a vécu plus de sept ans… Tu vas bien ?

— Écoute, Nelly, je viens d'apprendre pour ton frère… Si tu veux, je… le temps de fermer mes boîtes, j'arrive.

— Tu connais l'adresse ?

— 69, rue Visconti. Bannister, c'est ça ?

— Oui, je t'attends.

Il raccrocha, ses mains tremblaient. Malgré sa résolution de se rendre invulnérable, il ne parvenait pas à faire le deuil du bonheur qu'il avait connu auprès d'elle.

Il regagna son étalage en courant. Stella joignit son pouce à son index en un cercle parfait.

— Toi je sais pas, mais moi c'est nul. Si ça continue, je vais pas chier gras.

C'en était trop ! Il tira une cigarette d'un paquet à demi entamé, craqua une allumette, aspira longuement la fumée. Puis, fourrant les policiers dans sa sacoche, il balança son pliant par-dessus une rangée de magazines et baissa ses couvercles.

— Tu fermes déjà ? cria Stella.

L'immeuble était cossu, il y avait même une entrée de service. Nelly devait avoir trouvé le bonheur, elle qui rêvait d'une existence délivrée des contingences matérielles.

Bien qu'elle habitât au sixième, Milo évita l'ascenseur. Quand il atteignit le dernier palier, essoufflé, elle l'attendait dans l'encadrement de la porte, vêtue d'un long pull blanc et d'un pantalon noir, les bras croisés contre son buste frêle. La vue de Nelly après plusieurs années d'absence lui brouilla les idées au point de lui faire perdre la notion du temps, comme s'ils ne s'étaient jamais quittés et qu'il la retrouvait le soir, après une journée de travail.

— Toujours claustrophobe ?

Il grimaça un sourire, hocha la tête, la gorge serrée. Elle avait les yeux rouges, les traits tirés. Ses cheveux sombres en désordre soulignaient la pâleur de son teint, elle était aussi émouvante que dans son souvenir.

Elle le fit entrer. Un vaste appartement aux tapis épais, aux meubles probablement coûteux. Le fauteuil de cuir où elle l'invita à s'asseoir faisait face à une grande toile de Poliakoff.

— Je te sers un cognac ?

— Tu es seule ?

— Larry est à Boston avec la petite.

Elle lui jeta un regard rapide.

— Elle s'appelle Moïra, elle a presque deux ans.

Milo se tenait raide à côté du fauteuil, les mains enfoncées dans les poches de sa vieille canadienne. Il fixait une tache rouge sur le Poliakoff. Nelly l'avait quitté trois ans plus tôt, elle n'avait pas perdu de temps pour l'enfant. Mordu au vif par la nostalgie, il revoyait leur minuscule logement de la rue Ramey. Il se remémora leur première rencontre. Roland avait organisé une petite fête pour inaugurer sa nouvelle librairie, Nelly semblait perdue parmi ces gens gesticulant et parlant haut. Elle arrivait de Grenoble, elle s'était inscrite à l'École du Louvre. Elle aimait la peinture, la gravure, le cinéma. Ils avaient bavardé, il l'avait fait rire. Une semaine plus tard, ils sortaient ensemble. Presque à leur insu, leur amitié s'était muée en un sentiment plus tendre, plus exigeant. Un soir, Nelly avait accepté de monter chez lui – « l'endroit où j'habite ouvre droit sur le ciel ». Pendant quelque temps ils avaient tenu leur relation secrète. Puis Nelly s'était installée rue Ramey. Milo avait été nommé bouquiniste, elle avait trouvé un travail à mi-temps dans une agence de voyages. C'était pour la vie…

— Tu ne veux pas t'asseoir ?

Lentement, Milo desserra les poings et ramena son esprit au présent. Il posa sa sacoche sur le fauteuil, ôta sa canadienne.

— Il y a des lavabos dans ce palace ?

— Je me souviens, murmura-t-elle, tu rentrais toujours avec les mains noires.

— *Voilà c'qu'on appelle des mains d'travailleur,* fredonna-t-il.

Elle eut un petit sourire triste. Il la suivit au bout d'un interminable couloir donnant sur une somptueuse salle de bains. Dans le miroir, au-dessus de l'évier, il vit le reflet d'un homme au visage encore jeune en dépit des rides qui barraient son front, et il se demanda ce qui composait l'individualité « Milo Jassy », trente-huit ans aux cerises. Et où donc se planquait ce fameux « moi » qui coloriait son existence de pensées, jugements, a priori n'appartenant qu'à lui ?

Ils retournèrent dans le salon qui évoquait une salle d'attente médicale. Il la regarda leur servir à boire. Il avait l'impression de se trouver en présence d'une inconnue dont les traits ressemblaient à ceux d'une femme aimée.

— Tu veux m'en parler ? dit-il.

— Jeudi, en début d'après-midi, le téléphone a sonné. C'était la police... il y avait eu un accident, Roland était mort. Ils ne m'ont pas... enfin, il fallait que je vienne tout de suite. Je n'étais plus moi-même, c'était comme si un double agissait à ma place.

Milo songea à sa mère, à la sensation onirique éprouvée quand il lui avait fallu régler les formalités des obsèques. Il demanda doucement :

— Vous vous étiez revus, Roland et toi ?

— Non, pas depuis la naissance de la petite, une histoire idiote.

— Je suis au courant. Il était persuadé que tu lui avais... emprunté une esquisse de Degas.

— Emprunté ? Je n'ai rien emprunté.

— Tu sais, nous nous sommes fâchés pour le même genre de foutaise juste après ton départ aux États-Unis.

Éprouvait-elle un sentiment de culpabilité de l'avoir abandonné ? Est-ce que l'argent pouvait tout remplacer ? Leurs yeux se rencontrèrent. Ils se fixèrent pendant quelques instants, en pugilistes qui jaugent l'adversaire.

— Je crois que Roland souffrait du délire de la persécution, remarqua-t-elle. Déjà, petit garçon, il était persuadé que le monde entier lui était hostile, ça le rendait agressif, il attribuait aux autres ses propres sentiments.

— Nous sommes tous un peu comme lui, non ?

— C'est possible, murmura-t-elle en se détournant.

Milo avala une gorgée de cognac. Aussitôt son estomac se noua.

— Tu lui connaissais des ennemis ?

Nelly le regarda curieusement puis porta son attention sur son verre.

— C'est trop con ! s'écria-t-il. Oh, merde, excuse-moi, je n'arrive pas à accepter ce…

— Meurtre ? Moi non plus. J'ai dû l'identifier, répondre aux questions…

Un frisson la secoua. Il se pencha vers elle.

— Tu n'es pas obligée d'en parler maintenant. Si tu veux, je repasserai plus tard.

— Non, il faut que tu saches. Ils ont découvert son corps dans la boutique. Cela faisait trois jours que le rideau de fer restait baissé. Un voisin, le patron d'un bistrot, s'est inquiété parce que Roland déjeunait régulièrement chez lui. Et puis il y avait sa camionnette garée sur un bateau. Il a téléphoné à l'appartement, pas de réponse, alors il a prévenu le commissariat du 11e. Roland était allongé sur le dos, la tête enfoncée dans un sac en plastique. Il était nu, on l'avait poignardé et...

Elle poussa une plainte assourdie. Milo résistait au désir de la serrer dans ses bras.

— Le plus atroce, reprit-elle, c'est cette mise en scène grotesque, ces livres...

Elle éclata en larmes. À voix basse, il s'enhardit à demander :

— Quels livres, Nelly ?

— Les livres... debout sur leur tranche, alignés à ses pieds comme s'ils le regardaient, tu sais ces beaux cartonnages de la collection Hetzel, des Jules Verne, zébrés d'estafilades.

Milo tressaillit. Cela lui rappelait quelque chose de vague, une image floue. La main de Nelly se posa sur son bras. L'image s'effaça d'un coup.

— Milo, ça va ?

— Les Jules Verne, tu connais les titres ?

— Non. Quelle importance ? C'est le crime d'un malade. D'après le médecin légiste, Roland venait de faire l'amour, on l'a drogué, un somnifère, un sédatif, je n'en sais rien. Ensuite, on l'a étouffé avec le sac, il est mort asphyxié. Les coups de couteau, c'était gratuit.

Milo ferma les yeux. De nouveau l'image commençait d'apparaître, se précisait...

— Je veux qu'on retrouve l'ordure qui a fait ça à mon frère !

L'image s'altéra, il l'avait perdue.

— On l'a dévalisé ?

— Non. Tu sais qu'il collectionnait les éditions Hetzel, c'était son dada. À part les trois livres tailladés, on n'a rien touché.

— Nelly ? Je peux rester…

— Non, non, je te remercie, la femme de ménage va rentrer d'une minute à l'autre.

D'un mouvement brusque il s'écarta d'elle pour que son corps ne soit plus à sa portée.

— Écoute, prends un truc pour dormir, je te laisse mon numéro de téléphone, s'il y a quoi que ce soit… Je t'appellerai demain matin.

Dans le premier café venu il but un deuxième cognac qui lui brûla la gorge.

À peine Milo eut-il glissé sa clé dans la serrure qu'un grattement se fit entendre derrière la porte. Lemuel bondit autour de lui.

— Oui, oui, mon vieux, le temps de pisser, on y va.

L'appartement, deux petites pièces, une kitchenette, un cabinet de toilette avec douche et W-C, avait appartenu à une péripatéticienne qui exerçait son art à domicile, d'où son aspect de bonbonnière. Quand Milo s'était installé dans les lieux, quelques mois après le départ de Nelly, il n'aspirait qu'à une chose : trouver un refuge et s'y terrer. Peu à peu, les chambres s'emplirent de bouquins, de revues, de gravures, jusqu'à prendre une allure de grenier poussiéreux. Milo s'accommoda des murs tapissés de bouquets de violettes, du plafond fuchsia, de la moquette rose. Un bon lit, de la lecture, de la musique, une télé pour les nuits blanches lui rendaient cet endroit paisible et confortable. Sur ce palais régnait Lemuel, fox-terrier bicolore trouvé deux ans plus tôt attaché à un lampadaire un lendemain d'exode estival.

Milo descendit l'escalier, Lemuel sur les talons. Au premier, il tomba sur Blaise Le Branchu, veuf, retraité des PTT, qui sortait promener son Bobby, un teckel aussi vermoulu que lui.

— Bonsoir, monsieur Jassy. La pluie ne vous fait pas peur ? Il est vrai qu'avec votre métier... Mon Bobby, lui, préférerait rester au sec mais il faut bien qu'il fasse son petit pipi. Regardez-le, il sait qu'on parle de lui, hein, Bobby ? C'est à qui le beau queuton ? C'est à Bobby ? Oh, le beau queuton !

Ces derniers mots lancés dans les aigus provoquèrent la posture « arrêt-lapin » de Bobby, qui releva les babines et s'assit sur le moignon lui servant de queue. Blaise Le Branchu poussa un rugissement qui se voulait un rire et emboîta le pas à Milo, résigné.

La rue Crémieux luisait sous la bruine. À dix-huit heures, il faisait déjà sombre. L'alignement des petites maisons aux fenêtres à rideaux rappelait vaguement l'Angleterre. Une silhouette apparut à l'angle de la rue de Lyon. Lemuel fila lui faire la fête. Milo reconnut le filiforme Bachir, étudiant en histoire et serveur au buffet de la gare de Lyon. M. Le Branchu appela Bobby et tourna casaque sans dire bonsoir.

— Bobby, son queuton et leur propriétaire n'ont pas beaucoup d'amour pour moi, constata Bachir en riant.

— Pourtant, tu es un être humain comme nous...

— Oh, toi !

Ils échangèrent des bourrades amicales. Bachir s'arrêta net et regarda Milo d'un air embarrassé.

— J'ai un service à te demander. Si c'est non je comprendrai. En fait c'est juste pour deux trois jours, le temps de lui trouver une piaule...

— À qui ? À ta sœur ?

Bachir gloussa.

— Arrête, c'est mon cousin, Selim, il arrive de Roubaix demain, mais bon t'as vu ma chambre, un timbre-poste, on tiendra jamais à deux. Alors si tu pouvais...

— D'accord pour le gîte, mais pour le couvert c'est vaches maigres en ce moment.

— Oh, il a un peu de fric, et puis il va bosser. C'est un type cool, t'as pas à t'en faire.

— Deux ou trois jours, pas plus.

— Tu nous sauves la vie !

Bachir partit comme une flèche. Milo regrettait déjà d'avoir accepté. Il cria :

— Dis donc, Bachir, quand tu reçois ta copine, tu la trouves, la place !

Milo s'allongea. Il avait l'intention de s'offrir dix heures de sommeil. À côté du lit, sur la chaise encombrée de livres et de vêtements, il y avait le paquet de cigarettes, mais il se retint. Ses pensées tourbillonnaient, ça lui faisait mal. Il n'aurait jamais dû revoir Nelly. L'aimait-il encore ? Il lui en voulait, il la désirait. C'était une impression ambiguë qu'il ne pouvait contrôler. Il se sentit empli d'une sourde tristesse. Lové à ses pieds, Lemuel tressaillait en dormant. Il observa le chien englouti dans son rêve et se dit que l'existence n'était somme toute qu'une succession de tranches de vingt-quatre heures : bosser, consommer, aimer et dormir pour recommencer à travailler, manger, baiser... Pourquoi Nelly s'était-elle détachée de lui ? Il se mettait en quatre pour lui faire plaisir. Il se rappelait s'être confié à Roland : « Fais comme moi, Milo, ne t'attache pas, ça t'évitera de souffrir. Au fond, sous ton vernis de libertaire, tu n'es qu'un puritain, tu veux à tout prix que sexe et amour soient synonymes. »

— Allez, Milo, laisse courir, c'est du passé, grommela-t-il.

Les jumeaux des voisins du dessous se mirent à brailler en stéréophonie. Perceval et Lancelot Levasseur exigeaient d'être alimentés synchrones. Aussitôt le dispositif antibruit se mit en branle. Au rez-de-chaussée, Bachir alluma sa télé. Au-dessus de sa tête, Blaise Le Branchu, fervent adorateur de Bizet, ouvrit les vannes du *Je reviendrai quand la garde montante remplacera la garde descendante*. Milo posa un vinyle crachotant sur son antique électrophone. Il se leva, prit une douche aux accents de *Stompin' at the Savoy*, puis il avala une demi-boîte de cassoulet tiède. Quand Benny Goodman s'entêta à ressasser inlassablement le même accord, Milo exila son 33 tours rayé dans sa pochette. La maison était silencieuse, les jumeaux digéraient.

3

17 octobre

Vers deux heures du matin, Milo s'éveilla, poursuivi par la vision de Roland étendu nu sous l'œil sévère de James Mason. Il se rendit aux toilettes en titubant. James Mason ! C'était tellement saugrenu qu'il fut pris de vertige. Il s'aspergea le visage d'eau froide. Un déclic sous son crâne : Nemo ! Le capitaine Nemo ! James Mason dans le rôle de Nemo ! Oui, un film Walt Disney. Il devait avoir sept ou huit ans quand il avait vu *Vingt Mille Lieues sous les mers*. Après, bonjour les cauchemars peuplés de poulpes aux tentacules visqueux ! Il ferma le robinet, releva la tête, se vit dans la glace : un zombie. Deuxième déclic : Roland ! Jules Verne ! Quel message son subconscient lui délivrait-il ? Y avait-il un symbole hermétique à décrypter ou bien était-ce les effets dévastateurs du cassoulet ? Il était trop fatigué. Il se traîna jusqu'à son lit et sombra.

Il rêva de Nelly, de Stella Kronenbourg, de sa propre mère qui le suppliait de lui rendre sa Jouvence de l'Abbé Soury, ce qui était complètement saugrenu vu que la pauvre femme avait quitté ce monde depuis bientôt treize ans. Moins loufoque en tout cas que l'apparition d'une mégère à bonnet de laine qui lui réclamait à cor et à cri le dernier Goncourt intitulé : *La Traversée à vélo de la place de la Bastille.*

Il émergea aux cris désespérés des jumeaux Levasseur. Le réveil marquait sept heures. Il composa le numéro de Nelly. La sonnerie résonna plus de vingt fois avant qu'il ne se décide à raccrocher. Tandis que Lemuel faisait une overdose de croquettes, il avala deux cachets d'aspirine arrosés d'un jus de chaussette bien sucré, puis il se recoucha jusqu'à neuf heures. Il fit une nouvelle tentative pour joindre Nelly et tomba cette fois sur un répondeur lui enjoignant de laisser un message. Comme d'habitude, il demeura muet, faute de trouver les mots adéquats. Il se leva à regret, bourra un sac à dos de bouquins et descendit dans le métro, espérant que le temps soudain radouci resterait clément jusqu'au soir. À Châtelet, il s'aperçut qu'il avait oublié sa sacoche avec son fonds de caisse.

— *She hangs her head and cries in my shirt / She must be hurt very badly*[1]... fredonnait la fille au baladeur.

Parfois, dans les vitrines, elle apercevait la silhouette d'une jeune femme de taille moyenne, aux cheveux tirés en queue de cheval. Elle s'étonnait, il fallait qu'elle pense intensément : C'est moi, ici !

Elle longea l'Opéra, traversa la rue du Faubourg-Saint-Antoine. Elle ignorait ce qui la poussait à

1. *Sad Lisa*, Cat Stevens, 1970 ; chanson extraite de l'album *Tea for the Tillerman.*

retourner dans ce quartier, c'était comme si son corps, doté d'une volonté propre, retrouvait d'instinct le chemin. Elle pouvait visualiser avec une parfaite clarté les lieux qu'avait autrefois hantés Marijo, ses souvenirs devenaient une part du présent. Le bistrot *Chez Nénette et Maurice* se surimpressionna à un fast-food oriental, le théâtre à un supermarché. Elle éprouva une sorte de jubilation teintée de tristesse. Elle leva la tête. Là-haut, sur fond de ciel, le génie de la Liberté tentait toujours de s'envoler.

Elle fit demi-tour, alla s'asseoir sur un banc du petit square au-dessus du canal Saint-Martin. Ouvrant son sac, elle en tira un instantané fait un après-midi d'été à la terrasse du *Dôme*. Elle n'avait pu se résoudre à s'en débarrasser. Ils étaient là, tous les trois, serrés les uns contre les autres, souriants, Roland, Milo, Marijo avec sa mèche tombante, jeunes, si jeunes... Marijo avait adopté la coiffure de Veronika Lake, une actrice américaine des années quarante, après une soirée à la Cinémathèque où l'on projetait un vieux film de gangsters. Ses cheveux ramenés sur la joue soulignaient son côté femme fatale. Les garçons levaient leur verre, Marijo fixait l'objectif. Ce devait être l'autre qui avait pris le cliché, la sale petite sainte-nitouche, l'intruse.

La fille au baladeur sourit. Elle éprouvait de la tendresse envers la Marijo de la photo, celle qui se battait pour posséder ce que la plupart des gens désirent dans leurs fantasmes : le succès, la renommée, l'amour, celle qui déclarait souvent : « Il n'y a qu'une seule façon de mener sa vie : savoir ce que l'on veut et l'obtenir. » Les garçons se moquaient d'elle gentiment, cela les mettait mal à l'aise qu'une fille désirable tienne ce genre de propos.

La fille au baladeur déchira la photo. Elle avait atteint cet étrange état de paix intérieure et de confiance qui précède les grandes décisions. Elle se leva, Marijo avait besoin d'elle.

Deux ou trois taches de bleu dans le gris du ciel attiraient près de la Seine promeneurs et chineurs. Avant midi, Milo avait reconstitué son fonds de caisse. Stella Kronenbourg arriva au moment où un vendeur à la sauvette lui proposait une bombe anti-agressions en promotion à 39 francs au lieu de 49, l'affaire du siècle. Pendant que sa voisine bichonnait son étalage, il courut s'acheter un sandwich et un gobelet de café.

L'après-midi fut marqué par deux incidents qui cimentèrent les relations Milo-Stella un peu ébréchées par quelques récentes piques. Entre deux pages de *La Prédominance du Crétin* de Fruttero et Lucentini, Milo vit un homme au large pardessus enfourner dans sa poche intérieure une reproduction sur émail des *Tournesols* de Van Gogh. Au moment où le kleptomane passait devant lui, il l'attrapa par le bras et introduisit sa main dans le pardessus. *Les Tournesols* surgirent.

— Il ouvrit brutalement son imper et exhiba ses tournesols à la jeune fille horrifiée ! déclama-t-il en restituant son bien à sa voisine.

Ce geste héroïque lui valut une canette de bière et la reconnaissance éternelle de Stella, qui ne tarda pas à lui rendre la pareille. Un jeune black au gabarit de lutteur de sumo venait de lui demander s'il avait *Et Satan conduit le bal et l'orgie*. À quoi Milo répondit que Georges Anquetil s'était contenté d'écrire *Et Satan conduit le bal* tout court. Le jeune black fronça les sourcils et réitéra rageusement :

— *Et l'or-gie* !

— Désolé, pas d'orgie, repartit Milo, qui se vit alpagué par les revers de sa canadienne et secoué plutôt lestement.

C'était compter sans Stella qui, brandissant une tour Eiffel XXL, fonça sur l'assaillant en rugissant :

— T'es sourdingue ou quoi ? T'as pas entendu ce que le monsieur vient de te dire ? Y a pas d'orgie ici, espèce de cochon !

Milo fixait au loin la statue d'Henri IV en espérant que sa fin serait rapide et sans douleur.

— Alors, Dugenou, qu'est-ce que t'attends ? Bouge ton cul, tire-toi ! hurla Stella, menaçante.

Le lutteur de sumo leva le bras pour se protéger et fila, poursuivi par les invectives d'une tigresse en furie.

— Mais qu'est-ce qu'ils ont dans le ventre ? Si ça continue, j'vais péter les plombs !

Et Stella se rasséréna d'une lampée de bière.

— T'as vu ça, Milo ? Hier, c'était la frappadingue qui me fait une scène comme si on avait gardé les vaches ensemble. Ah, pis j'oubliais la fêlée du mois dernier, la mémé aux cheveux rouges qui s'prend pour la station de métro Louise Michel.

— Quoi ? Qui ? demanda Milo.

— Louise Michel, t'es sourd ou quoi ? C'est une station d'métro sur ma ligne, j'habite entre Goncourt et Parmentier… Dis donc, t'as un drôle d'air, tu vas pas tomber dans les pommes ?

— Répète ce que tu viens de dire.

— J'habite entre Goncourt et Parmentier.

— Non, avant. Tu as parlé d'une femme aux cheveux rouges et de Louise Michel.

— Ben oui, une station d'métro, comme Charles de Gaulle-Étoile ou Bobigny-Pablo Picasso… T'en fais une tête, c'est quelqu'un de ta famille ?

— Non, Louise Michel était une idéaliste révolutionnaire, elle voulait supprimer les injustices sociales, il y a plus d'un siècle. Après la Commune de Paris, elle a été déportée en Nouvelle-Calédonie. On l'avait surnommée la « Vierge Rouge ».

— Normal, avec ses tifs derniers feux du soleil couchant... Il y a plus d'un siècle ? Tu débloques, Milo, elle est venue le mois dernier, j'te dis ! Elle t'a assez gonflé, cette tordue-là, avec ses Jules Verne ! Eh, qu'est-ce qu'ils fabriquent ? Mais ils font tout tomber ! Putain !

Elle se précipita pour ramasser ses reproductions de la *Joconde* éparpillées sur le trottoir.

Milo releva le col de sa canadienne et s'adossa au parapet. Un éclair de mémoire. Il revit avec précision la femme, une quadragénaire aux cheveux roux. Elle recherchait *Vingt Mille Lieues sous les mers* ainsi que des romans de Louise Michel. Elle avait insisté : « Oui, oui, Louise Michel et *Vingt Mille Lieues sous les mers* », et elle avait ajouté : « Vous savez pourquoi ? »

Non, il ne savait pas. Alors elle lui avait dit : « Je suis la réincarnation de Louise Michel, j'ai une mission à remplir : détruire cette œuvre attribuée à Jules Verne, parce que voyez-vous, monsieur, c'est Louise qui lui a vendu le manuscrit pour une bouchée de pain ! »

Il avait noté sa commande, il ne faut jamais contrarier les toqués.

Une autre image s'alluma : Roland, le capitaine Nemo. Une étrange chaleur l'envahit. Y aurait-il concomitance entre un meurtre, un rêve et une rouquine fêlée ? Quelqu'un avait écrit quelque chose là-dessus... Qui ?.... Ah oui, Jung ! Oh, merde, arrête, Milo, tu disjonctes ! Tout de même, c'est bizarre.

— Dis, Stel… Henriette, ça m'a secoué cette affaire, j'ai besoin d'un remontant, ça t'ennuie si je…

— Mais non, voyons, vas-y, prends ton temps, je surveille !

Et Stella se planta férocement entre les deux étalages.

De boire, pas question. Au pas de charge, il parcourut le quai des Grands-Augustins, le quai Saint-Michel et une portion du quai de Montebello, pour demander à chaque bouquiniste s'il avait eu la visite d'une rouquine à la recherche de *Vingt Mille Lieues sous les mers*. Il reçut plusieurs réponses affirmatives, mais aucun collègue ne connaissait son adresse ou son téléphone.

Toujours courant, il revint à sa place qui n'était plus gardée par le dragon Stella, entourée d'un groupe de touristes japonais hérissés de tours Eiffel. Si on ne t'a rien piqué, tu auras de la veine, se dit-il en s'échouant sur son pliant.

— Eh ben, Milo, t'as le gosier en pente ? J'ai cru que tu t'étais noyé ; tiens, je t'ai vendu un guide Maupassant.

Pour une fois la recette avait été correcte, mais Milo se sentait déprimé. À plusieurs reprises il avait tenté de joindre Nelly, espérant vaguement qu'elle l'inviterait à passer. Un type peut tenir le coup un certain temps, pas trop. La revoir avait éveillé sa libido. Il se connaissait assez bien pour comprendre que sa nervosité était due à la frustration.

Couchait-elle déjà avec Larry lorsqu'elle l'avait quitté ?

« Écoute, Milo, nous avons fait un bout de chemin tous les deux, si nous passions la fin de notre vie ensemble, nous n'aurions rien de plus à nous donner. J'aimerais que nous restions amis. » Amis, tu parles ! Il avait rencontré Larry, un macho à la John Wayne mâtiné de Tarzan. Ils n'avaient pas sympathisé.

Peut-être un miracle allait-il se produire ? Peut-être allait-elle lui téléphoner ? Peut-être l'avait-elle déjà fait ? Il regretta de ne pas posséder de répondeur.

Pauvre tarte ! Tu es un imbécile ! Pourquoi ne pas accepter ce qui ne peut être changé !

Il traversa lentement la Seine, les yeux rivés au sol, et, pour la première fois, il mesura l'ampleur de ce qui était arrivé à Roland.

Son oppression se doubla de consternation lorsqu'il vit à la porte de son immeuble un Bachir souriant flanqué d'un jeune homme maigrichon. Merde ! Le cousin. J'avais complètement oublié.

— Milo, tu te rappelles ce que je t'ai demandé hier ?

— Parfaitement.

Bachir, rayonnant, se tourna vers le cousin.

— Alors, Selim, qu'est-ce que je t'avais dit ?

Milo crut bon de préciser :

— Tu sais ce qui a été convenu, Bachir, seulement deux ou trois jours…

— Oui, oui, un copain va lui dégoter une piaule.

Milo installa Selim et sa valise dans la pièce fourre-tout. Ils calèrent le canapé à trois pattes avec *Les Lettres choisies* de monseigneur Dupanloup. Milo s'aperçut alors qu'il manquait de literie.

— Oh, ne vous dérangez pas, j'ai une parka.

Milo jeta un coup d'œil au pull de Selim : du papier à cigarette. Il se souvint de la main glacée serrée en bas de l'escalier et décida d'aller sonner chez les Levasseur.

Corinne Levasseur, une petite brune pour qui un seul bébé eût déjà semblé un fardeau trop lourd, lui ouvrit en coup de vent et tourna aussitôt les talons.

— Excusez-moi, Lancelot perce une dent.

Elle revint deux minutes plus tard chargée d'un gros poupard hurlant.

— Une couverture ? Bien sûr, vous pouvez me le tenir ?

Milo contempla le paquet braillard dans ses bras et se demanda si la paternité serait capable de vaincre sa répulsion pour les nourrissons.

— Eh, Lancelot, est-ce que ton double ressemble autant que toi à E.T. ?

— Voilà, j'ai trouvé, dit Corinne, on fait l'échange.

Milo rendit Lancelot, prit le duvet et regagna son appartement où il trouva Selim en train de vider le placard de la cuisine.

— Inutile de chercher, je me suis débarrassé de l'arme du crime.

Selim sursauta.

— Je voulais juste préparer un petit truc à manger.

— Je crains qu'il n'y ait pas grand-chose. Des nouilles, des biscottes, peut-être une croûte de gruyère…

— Je vais me débrouiller, je vous appellerai quand ce sera prêt.

Une demi-heure plus tard, Milo trônait devant une platée de coquillettes au fromage. Cela lui faisait un drôle d'effet que quelqu'un prenne soin de lui. Il en éprouva un tel contentement qu'il ne put résister au plaisir d'une cigarette.

— Ça ne te dérange pas ?

— Si, répondit Selim.

Décontenancé, Milo reposa son paquet.

— C'est marrant, les gens croient toujours qu'on va leur répondre non, dit Selim. Il y a longtemps que vous fumez ? Vous êtes accro ?

— Non, j'ai commencé aujourd'hui, marmotta Milo. Tu as un boulot en vue ?

— Un ami de mon père tient une épicerie à Houilles, je débute demain. Vous pouvez fumer, vous savez, c'était pour rire.

— C'est loin, Houilles.

— Oui, je partirai de bonne heure, je ne ferai pas de bruit. Le soir, l'épicerie ferme à neuf heures, alors… Vous m'ouvrirez ?

— Ne m'attends pas, chéri, couche-toi, dors, je rentrerai tard, susurra Milo. (Il sentit aussitôt qu'il n'aurait pas dû dire ça, Sclim le dévisageait d'un air offusqué.) Non, non, ce n'est pas ce que tu penses, juste mon côté nostalgique qui reprend le dessus, je remâche mes souvenirs.

Selim débarrassa la table. Milo l'imaginait cadet d'une nombreuse famille, esclave de ses proches, heureux de venir trimer à Paris pour échapper à sa servitude.

— Cela doit être dur de quitter les siens.

— Oh non ! Je vivais seul avec mon père, il va se remarier, je ne peux pas la blairer.

— Quel âge as-tu ?

— Je suis majeur, dix-neuf.

Milo repoussa son siège.

— Laisse la vaisselle, Lemuel a sommeil, au lit. Ah, pendant que j'y pense, voilà un double des clés. Et dis-moi « tu », c'est plus convivial, lança-t-il avant de fermer la porte de sa chambre.

Lemuel entama aussitôt le rituel nocturne : courir après sa queue, se frotter aux meubles, farfouiller à droite, à gauche.

— Ah non, mon vieux, ça c'est à moi !

Milo attrapa sa sacoche par la bride et la balança sur la chaise ; des pièces de monnaie et des sucres roulèrent sur la moquette.

— Le chien, tu veux un petit dessert ?

Lemuel tourna vivement la tête, hésita comme s'il soupçonnait le morceau de sucre de n'être qu'une imitation, puis le croqua et alla s'enterrer sous la couette.

Milo se laissa choir à plat ventre en travers du lit. Immobile, il considérait les bouquins qui avaient glissé hors de sa sacoche, deux Série Noire : *Le Pain des Jules* et *Vous pigez ?*

— Nom de Dieu ! grommela-t-il.

Son cœur faisait du cent trente à l'heure. Il réfléchit un instant. La réponse était proche… La femme au bonnet-chat ! Secoué par l'assassinat de Roland, il avait fourré les polars au fond de sa sacoche sans prêter attention aux titres.

Un rayon lumineux, il pigeait presque. Un message ! Quelqu'un lui envoyait un message ! Les protège-livres, avec leurs trois articles identiques bien en évidence, n'étaient pas le fait du hasard.

Il s'assit au bord du lit. Quel était le lien entre les Jules Verne de Roland et *Le Pain des Jules* de bonnet-chat ? Qui jouait à semer des indices sur son chemin ? Pourquoi l'avait-on choisi, lui ? Une idée folle lui traversa l'esprit : Roland ? Roland se trouvait peut-être coincé quelque part, dans un no man's land astral dont il ne pourrait s'arracher qu'après avoir confondu son meurtrier ?

Déconne pas, Milo !

La tension devenait trop forte, il lui fallait un verre. Il se rappela que Selim dormait à côté et se rabattit sur les cigarettes. Il en grilla deux coup sur coup, inhalant la fumée avec délices. Il devenait léger… léger… Il eut la brève vision d'un puzzle très compliqué, un vrai casse-tête qu'il avait mis des jours à assembler quand il était môme, un paysage de Monet. L'œuvre était pratiquement reconstituée lorsqu'il s'aperçut qu'il manquait des pièces.

Trois ! Il y avait trois livres ! Il tendit la main, extirpa le troisième bouquin, un Masque : *La Femme aux cheveux roux*. Il le feuilleta fébrilement, une carte de visite tomba sur la moquette :

Georges Liévain
Livres d'occasion Vente-achat
Marché aux puces de Montreuil
Samedi-Dimanche-Lundi
On avait ajouté au crayon : « Louise Michel : *Souvenirs et Aventures de ma vie*, et *La Bonne Louise* par Ernest Girault. »

4

18 octobre

La fille au baladeur, vêtue d'une paire de caleçons anthracite et d'un K-Way, ajusta ses écouteurs sous son béret. Elle s'abritait de la pluie devant un cinéma d'où elle pouvait voir l'enfilade déserte de la rue Crémieux. En général, il ne quittait jamais son domicile avant neuf heures, il remontait vers la rue de Bercy, traversait le pont d'Austerlitz et poursuivait son chemin soit à pied, soit en bus. Par ce temps de chien, il n'irait pas travailler. Si, comme elle le pressentait, il avait décodé le « message », il filerait droit où elle voulait qu'il aille.

Elle le vit approcher d'un pas rapide, jeta un coup d'œil à sa montre, il était ponctuel. L'échine légèrement voûtée, les mains au fond des poches, il bifurqua vers la bouche de métro. Elle attrapa son sac de sport et lui emboîta le pas. Elle était curieuse de savoir ce qu'il comptait faire. Il prit la direction Château de Vincennes, c'était presque gagné. Lorsqu'il changea à Nation, elle sut qu'il avait mordu à l'hameçon.

Coincé entre le périphérique et un hôtel Ibis doublé d'un centre commercial, le marché se faisait tout petit pour échapper à la mort. Grignotées d'année en année, ses allées ressemblaient à de chétifs condamnés en sursis. Étalages de vieilles nippes, de fausses bonnes affaires, de cassettes de crooners arabes, de tissus africains, les Puces avaient pour Milo le charme de souks défraîchis où brillait parfois une pépite sur un tas d'ordures. Ce matin-là, fouetté par les averses, le lieu évoquait plutôt une louchée d'écume prélevée sur le pot-au-feu de la ville. Papiers gras et sacs plastique volaient sous les barnums.

Milo dépassa plusieurs éventaires de tout et de rien et s'arrêta devant un tas de bouquins qui prenaient misérablement la pluie. Le marchand, un gros homme rougeaud en bleu de chauffe, les rangeait mollement dans des cartons qu'il balançait ensuite au fond d'une camionnette.

— Salut, Liévain.

— Putain de saloperie d'temps, y a pas moyen d'avoir deux jours corrects d'affilée !

Milo fit mine de s'intéresser à un lot de reliés tant bien que mal abrités sous une bâche.

— Pour toi, cent balles, lâcha Liévain, il en manque un.

— Dis donc, Liévain, je suis embêté, une bonne femme a oublié un paquet chez moi, sur le quai. Elle est rousse et elle recherche *Vingt Mille Lieues sous les mers*. Tu ne vois pas qui c'est, par hasard ?

Liévain se gratta la nuque, regarda Milo, puis le ciel, et cracha.

— Tu te fous de moi ? *Vingt Mille Lieues sous les mers*, un jour qu'y flotte comme vache qui pisse !

— Je n'ai jamais été aussi sérieux.

— C'est pas toujours moi qui garde, faut d'mander à Battisti. Attends, j'vais l'chercher, il est dans la bagnole.

La fille au baladeur flânait autour des stands de fripes. Elle acheta un imperméable, une casquette de toile et une musette chinoise. De temps à autre, elle jetait un regard sur l'étalage de vieux bouquins, de l'autre côté de la travée. Elle se dissimula entre deux camions, ôta son K-Way, enfila l'imper, remplaça son béret par la casquette, glissa portefeuille et baladeur dans la musette et poussa discrètement le sac de sport sous l'une des voitures.

Battisti mit du temps à venir, sans doute craignait-il de rétrécir sous la pluie car sa taille n'excédait pas celle d'un enfant de dix ans. Il ressemblait à un personnage interlope des années trente, cheveux gominés, moustaches cirées, complet à carreaux, souliers vernis. Il tendit la main à Milo qui lui ressortit son boniment, fit la moue, hocha lentement la tête.

— Oui, oui, oui, glapit-il d'une voix de fausset, je vois qui c'est, une emmerdeuse qui m'a tenu le crachoir, elle est venue trois fois la semaine dernière. Où elle crèche, je pourrais pas te l'apprendre, ça doit être comme qui dirait le trou du cul du bout du monde, son quartier, parce qu'elle arrêtait pas de se plaindre que ses fenêtres ouvrent sur un cimetière. J'y ai répondu qu'elle aurait pas besoin de prendre les transports en commun pour aller à son dernier domicile vu qu'elle logeait à côté. J'ai cru qu'elle allait me voler dans les plumes. Alors pour être poli j'ai voulu savoir où qu'il était, son cimetière. Elle m'a dit : « Pas loin du métro Ourcq, mais on peut descendre à Danube. »

Milo remercia chaleureusement, acheta pour la forme les reliés dépareillés et se dirigea vers la place de la Porte de Montreuil. La fille au baladeur s'élança à sa suite.

Ils arrivèrent sur le quai au moment où une rame surgissait du tunnel. Elle monta la première. Il s'assit contre la vitre, il lui tournait le dos. Les stations défilaient. Passé Oberkampf, il s'approcha des portes. Elle attendit quelques secondes, le regard perdu dans le vague, puis elle se leva. Il descendit à République, consulta le plan et enfila le couloir de correspondance direction Bobigny. Elle le suivit. Tout marchait comme sur des roulettes.

La pluie avait cessé. Le quartier était un amalgame d'ancien décrépi et de neuf hideux portant les noms ronflants de musiciens célèbres. Autour de l'unique cimetière, celui de La Villette, Milo délimita un quadrilatère composé des rues Petit, Goubet, d'Hautpoul et Vaudremer. Campé au milieu d'une allée bordée de tombes néogothiques, il repéra les bâtiments dont les fenêtres jouissaient d'une vue plongeante sur l'autre monde. Se fiant à son instinct, il choisit deux vieux immeubles de la rue d'Hautpoul, non loin de *L'Aubrac*, un restaurant à prix fixe.

La fille au baladeur le vit entrer au *Relax*, un bar à l'angle de la rue Petit. Il commanda un jambon-beurre et un café. Il mangea le sandwich, puis il sortit un bloc et un gros feutre de sa sacoche et se mit à écrire. Lorsqu'il eut empli une dizaine de feuillets, il relut sa prose et eut brusquement envie de tout laisser tomber. En supposant que la rouquine remarque cette annonce, en admettant qu'elle prenne contact, qu'allait-il bien pouvoir lui dire ? Cette histoire n'était que pure spéculation…

Il pensa à Roland et se sentit de nouveau happé par le vide. Vivre, mourir, y avait-il un sens à cela ? Pourquoi cette agitation, ces attachements ? Existait-il un autre niveau de perception après ? Il oscillait entre le doute et le désir d'y croire. Il se rappela précisément quand il avait pour la première fois éprouvé ce sentiment d'inanité. Il avait huit ans, le soir tombait. Il ne bougeait pas, n'allumait pas, paralysé d'anxiété devant cette lente disparition du décor familier englouti par l'ombre. Soudain, il avait eu la révélation que chacun crée sa propre réalité. Rien n'avait d'importance hormis la vie… Il devait découvrir qui avait volé ce trésor à Roland. Il avala son café, il était froid.

La fille au baladeur avait patiemment attendu près du centre sportif, les écouteurs plaqués aux oreilles. Lorsqu'elle fut certaine qu'il était loin, elle remonta la rue d'Hautpoul, s'arrêta devant la boulangerie et lut l'annonce qu'il avait apposée sur la vitrine :

« La personne qui recherche *Vingt Mille Lieues sous les mers* est invitée à téléphoner au 20.20.20.30.81. Un des bouquinistes qu'elle a contactés a trouvé ce livre. »

5

19 octobre

Milo s'éveilla la tête lourde, la bouche amère. Il repoussa la couette, ouvrit la fenêtre. Il pleuvait, une pluie fine et tiède. Il retomba sur l'oreiller. Lemuel, allongé de tout son long à ses pieds, le museau entre les pattes, fixait sur lui un regard chargé de reproches : « Alors, c'est pour aujourd'hui ou pour demain ? J'ai les crocs, moi ! »

Milo s'avoua vaincu et gagna la cuisine d'une démarche de somnambule. Selim avait eu la touchante attention de laisser en vue des biscottes et du beurre, le café était encore chaud. Il attrapa une boîte de pâtée, emplit une assiette en évitant d'en inhaler le fumet écœurant. Lemuel accepta son repas sans manifester de reconnaissance, le meilleur ami du chien ne faisait qu'accomplir son devoir.

La sonnerie du téléphone retentit. Milo se rua sur l'appareil. Nelly ! Ce ne pouvait être qu'elle !

— Allô ?

Il entendit une voix de femme affligée d'un léger zézaiement. Elle se nommait Émilienne Bagot, elle était venue sur les quais, elle avait lu son annonce dans le quartier. Elle habitait 52, rue d'Hautpoul, cinquième étage, dernière porte à droite. Pouvait-il passer en fin de matinée ? Il ferait une bonne affaire, elle désirait se débarrasser d'une collection de vieux bouquins, des Jules Verne dorés sur tranche, presque tous les titres, excepté un, bien entendu.

Milo lui répondit qu'il serait chez elle vers onze heures, il apporterait deux exemplaires de *Vingt Mille Lieues sous les mers* de la Bibliothèque Verte et une biographie de Louise Michel par un certain Fernand Planche, c'était tout ce qu'il avait pu dénicher.

Après la promenade hygiénique de Lemuel, il fit un plein de courses, remonta, avala deux tasses de café et composa le numéro de Nelly. Elle avait branché son répondeur, il raccrocha sans laisser de message, si elle s'imaginait qu'il allait la supplier elle se faisait des illusions. Déçu, fâché contre lui-même, il ferma sa porte à clé, dévala l'escalier, faillit rater une marche en constatant qu'il avait mis une chaussette blanche et une chaussette verte.

À l'angle de la rue Traversière, il aperçut, trop tard, Blaise Le Branchu, Bobby et son queuton qui venaient droit sur lui.

— Bonjour, monsieur Jassy, quel sale temps, hein ?

— Un vrai temps de canard, marmonna Milo.

— Ah, ils me font rire à la télé avec leur anticyclone des Açores ! On va la payer, cette douceur, l'hiver sera polaire.

— Vous êtes une précieuse source d'informations.

— Oui, je suis renseigné par mes cors, quand ils me font mal, je prends mon parapluie.

— Je cours illico m'en procurer un, lança Milo en s'éloignant vers le métro.

À Ourcq, sur le quai désert, Milo fut alpagué par un clodo hargneux.

— Donne-moi quelque chose avant de crever !

Milo pêcha une pièce au fond de sa poche.

— Merci, j'te souhaite un bel enterrement, dit l'homme en s'inclinant.

À l'entrée de la rue d'Hautpoul, Milo remarqua sur un mur lézardé une inscription à la bombe :

« Il faut craindre le silence des pantoufles
plus que le bruit des bottes. »

Il médita sur la justesse de cette affirmation qui lui paraissait prophétique et faillit dépasser le numéro 52.

Le souffle court, le front moite, il longea le couloir obscur du cinquième et s'arrêta devant la dernière porte à droite. Il n'y avait pas de sonnette. Il frappa, un aboiement furieux lui répondit.

— Tais-toi, Tosca ! cria une voix éraillée, qui enchaîna un ton au-dessus : Qu'est-ce que c'est ?

Le timbre harmonieux traça dans l'esprit de Milo la silhouette d'un loup filandreux façon Tex Avery. La porte s'entrouvrit sur un visage revêche, tout en angles et en rides, à demi mangé par des mèches de cheveux blancs s'échappant d'un filet.

— C'est pour quoi ?

Grondante et obèse, une bergère allemande encastrait son museau dans l'entrebâillement que retenait un pied chaussé d'une charentaise.

Ce n'est pas la rouquine, pensa Milo, j'ai dû me tromper.

— Excusez-moi, je cherche Mme Bagot.

— C'est moi, qu'est-ce que vous voulez ?

— Vous m'avez parlé au téléphone, ce matin, je suis…

Elle ne le laissa pas achever sa phrase.

— Ah, vous êtes de la SPA, eh ben c'est pas trop tôt ! Tais-toi Tosca ! Je ne sais pas si c'est vous que j'ai eu et je voudrais pas avoir l'air de dire, mais faut être bouché pour pas comprendre qu'il y a urgence. Une semaine qu'elle a pas ouvert ses volets et qu'elle passe quand même tous les deux jours avec ses deux sacs de sciure, et c'est sûrement pas pour se chauffer ! Tais-toi Tosca ! Donnez-moi, donnez-moi un nombre de chats que j'vous répondrai qu'elle a enfermés là-n'd'dans ? Quatorze chats, oui monsieur, pas pour les bouffer, juste pour les loger, et si vous croyez que je veux vous enduire en erreur, vous pouvez demander à l'hydropique, elle quitte pas son lit mais elle entend miauler à travers les murs. Et l'odeur, une infection ! Tais-toi Tosca ! J'peux même pas ouvrir ma fenêtre tellement que ça sent mauvais. Je ne suis pas contre les animaux mais faut nettoyer les bêtes ! C'est comme ce Bourdoin, au premier, qui boit comme un trou et qu'a deux clébards du pôle Nord qui sont maigres à faire peur, parce que tout son pognon il le met dans son pinard et le reste, et j't'achète une mobylette, et j'te paye des z'habits z'huppés, et j'te fais des dettes jusque-là, mais nourrir les chiens, macache. Eh ben, lui aussi faudrait voir à vous en occuper parce que je répète et je réitère, deux fois, oui monsieur, si on était pas devant vos guichets à faire les marioles vous seriez pas derrière à vous engraisser sur l'pauvre monde ! Tais-toi Tosca !

Sidéré, Milo avait encaissé cette logorrhée sans pouvoir placer un mot malgré plusieurs tentatives discrètes. Il regardait fixement les bajoues de la femme trembloter à mesure que les phrases tombaient de ses lèvres comme de petits couperets, pensant avec horreur au tragique destin de la chair. Cette virago avait-elle été désirable avant de comptabiliser tant d'heures de vol ? Quel petit vieillard goutteux abritait-il en lui ? Il savoura le retour au silence et se risqua à remarquer :

— Il doit y avoir une erreur, je ne suis pas...

— Vous n'êtes pas la SPA ? beugla Émilienne Bagot.

— Non, je suis...

La porte lui claqua au nez. Il inspira profondément et frappa de nouveau. La chienne hurla à la mort. Étouffée, mais menaçante, la voix de la femme traversa le bois :

— Tais-toi Tosca ! Pouviez pas le dire plus tôt ! Allez-vous-en ! Avec l'étrangleur des veuves qui rôde, vous croyez tout de même pas que je vais vous laisser entrer !

— Mais je vous apporte des livres, vous savez, Jules Verne...

— Allez vendre vos salades ailleurs !

Milo se sentit ridicule, cette vieille folle s'était fichue de lui. Il se retint d'envoyer valdinguer ses livres contre la porte, il n'avait qu'une hâte : fuir cet immeuble qui puait le graillon et l'eau de Javel. Il allait débouler sur le palier du troisième quand une femme en ciré rouge surgit, obstruant la cage d'escalier avec ses deux cabas. Elle leva sur lui un visage dont on ne devinait pas grand-chose, sinon sa maigreur, dissimulée tant bien que mal derrière d'énormes lunettes en forme de papillon. Un foulard semé de coccinelles comprimait sa chevelure. Il tenta de se faufiler, elle posa ses cabas, lui barrant délibérément le passage.

— Vous ne viendriez pas de chez la Bagot, par hasard ?

— Si, mais…

— Vous êtes le bouquiniste, n'est-ce pas ? C'est moi qui vous ai téléphoné. Trop bête que je sois en retard, à cause du marché, je pensais vous attendre devant chez la vieille.

— Vous ?

— Oui, rapport à la toquée qui habite chez elle, Amélie Nogaret, c'est le nom qu'elle a donné. Quand j'ai lu votre annonce, j'ai deviné que ça la concernait, parce que, voyez-vous, elle est absente, alors j'ai pris sur moi de vous appeler, je voulais vous voir en personne. Je vous ai donné le nom de Bagot parce que je n'habite pas l'immeuble.

— Expliquez-vous.

— Ben c'est simple. Amélie Nogaret, c'est une zonzon plutôt bizarre, elle ne dit jamais bonjour, à croire qu'elle a avalé un pébroque. Elle a sous-loué une chambre à Émilienne Bagot, en douce naturellement, si bien qu'elle loge chez la vieille en totale effraction. Je n'y vois pas d'inconvénient parce que le fisc… Bon, passons. La Nogaret, elle vient une ou deux fois par mois, juste pour dormir, le reste du temps elle habite Rouen à ce qu'elle dit. Oh, mais excusez, je ne me suis pas présentée, moi c'est Charline Crosse, et vous monsieur Gilo Massy, c'est ça ?

— Jassy, Milo Jassy, corrigea-t-il en réprimant un rire nerveux. Alors les livres à vendre ?….

— C'était pour vous faire venir parce que vous comprenez, Amélie Nogaret elle me flanque la pétoche, on dirait une sorcière avec ses cheveux rouges. Il faut vous dire que je m'occupe de la vieille, un peu de ménage, un peu de cuisine, des fois je lui masse son lumbago, je préférerais masser un bel homme…

Milo ne réagit pas.

— Eh ben, il y a du louche. La chambre à la zonzon, elle est bourrée de bouquins, il y en a partout, sur le lit, la commode, le plancher, des piles et des piles, tous le même titre ! Ce n'est pas très catholique, ça sent le trafic, j'ai vu un film à la télé où qu'ils passaient de la drogue dans la couverture d'un livre…

— Quel titre ?

— Le film ? J'ai oublié.

— Non, les livres.

— Euh… zut, je l'ai sur le bout de la langue, ça cause de mer… de… excusez, hein, M.E.R., ça y est ! *Vingt Mille Machin truc dans la mer,* mais alors tous les formats, des gros, des petits, des grands. Je vous le dis, cette Amélie Nogaret elle fumerait la moquette que ça ne m'étonnerait pas. Un jour, je l'ai suivie. Vous comprenez, je voulais en avoir le cœur net. Elle m'a fait cavaler, la teigne ! Remarquez, c'est bon pour la circulation, et le Jardin des Plantes ça me botte parce que moi aussi j'en suis une belle, de plante…

Elle fit une pause pour s'assurer que Milo avait bien saisi l'allusion.

— Où est-elle allée ?

— Holà, pas si vite, on se connaît à peine, il faut que je me méfie de ma langue, ma mère me disait souvent : « Charline, ta langue est si longue que tu pourrais te lécher le bas du dos », elle aimait rigoler, ma mère.

Milo soupira, il avait compris. Il sortit son porte-feuille qui ne contenait que deux billets de cent francs, en glissa un à Charline Crosse qui lui sourit et enchaîna :

— De l'autre côté du Jardin des Plantes, on a suivi une rue et on a dépassé la mosquée. C'est bien, ce quartier, on voyage sans prendre l'avion, parce que moi je rêve d'aller chez les Turcs mais je n'ai pas les moyens. Plus loin il y avait un carrefour, et après, un marché couvert qui a été refait, c'est joli par là, ils font de beaux appartements mais pas pour l'ouvrier. Amélie Nogaret est entrée dans un magasin de photo, juste en face. J'ai poireauté un bout de temps, au moins vingt minutes, elle n'est jamais ressortie. Je me suis approchée mine de rien, il y avait seulement la vendeuse.

Milo sortit bloc et stylo.

— Comment s'appelle-t-elle déjà, cette femme rousse ?

— Nogaret, Amélie Nogaret. J'la connais pas, hein, tout c'que j'sais, c'est qu'elle est représentante en soutiens-gorge. Vous parlez d'un boulot, surtout avec sa dégaine, parce que ses roploplos ne feraient pas une jolie devanture !

— Merci, dit Milo, qui commença à descendre l'escalier.

Penchée sur la rampe, Charline Crosse cria :

— Ça vous dirait un petit café quand j'aurai posé les courses chez Bagot ? J'en ai pour deux minutes.

— Désolé, les billets de cent ne poussent pas sur les arbres, je dois bosser.

Sous le porche, il croisa deux chiens huskies et un homme un peu dégarni qui titubait légèrement, il se plaqua au mur pour lui céder le passage. Il était groggy, la pluie lui fit du bien.

Dans le métro, Milo s'assit face à deux minettes en pâmoison devant les charmes ravageurs d'un boys band. Il jeta un coup d'œil sur la revue qu'elles feuilletaient et en déduisit que les beaux gosses au torse imberbe avaient probablement cultivé leur organe vocal dans une salle de musculation. Il se redressa, écarta les épaules. Il savait fort bien que son physique ne produisait pas une forte impression sur le sexe opposé ; quelques séances de poids et haltères augmenteraient-elles ses chances de plaire aux dames ? « Je préférerais masser un bel homme », avait dit Charline Crosse. Il frissonna. Non, pas ce genre de dame ! Quelque chose le tarabustait, un détail parmi la succession de faits absurdes qu'il venait de vivre. Impossible de trouver lequel. J'arrête, cette affaire frise le ridicule, aux flics de mener leur enquête.

Une boule d'angoisse lui obstrua la gorge. Son ex-meilleur ami venait d'être assassiné, le frère de la femme avec qui il avait vécu, et les flics n'avaient pas jugé bon de l'interroger, pourquoi ? Nelly lui avait dit que la boutique était fermée depuis trois jours lorsqu'on avait découvert le corps, le meurtre remontait donc au dimanche ou au lundi précédent. Il essaya de se rappeler son emploi du temps ces jours-là. Il était allé aux quais comme d'habitude, de dix heures à la tombée de la nuit, puis il était rentré directement rue Crémieux, seulement voilà, personne ne pourrait témoigner qu'il y était resté. Pas d'alibi, bravo, Milo !

Les flics le suspectaient-ils ? Était-il surveillé ? Il observa les usagers autour de lui, tous murés en eux-mêmes, évitant de se regarder les uns les autres. Son téléphone était-il sur écoute ? Alors ils devaient savoir pour les Jules Verne... à moins que cette histoire ne soit une mise en scène destinée à lui faire perdre les pédales ?

Tu lis trop, Milo, ça te bouffe le cerveau !

Sa tête bourdonnait. Cela n'avait aucun sens. Il imaginait mal une femme flic jouant les Charline Crosse pour lui tirer les vers du nez, ou bien le rôle avait-il été tenu par un homme ? Cette idée l'amusa, il rit intérieurement. Charline Crosse ! Quelque chose clochait, cette fois il en était sûr. Il faillit laisser passer sa station.

Il traversa le boulevard de l'Hôpital. Il avait perdu le goût du travail, la pluie persistante lui permit de s'accorder sans remords un après-midi de liberté. Le Jardin des Plantes tout proche ramena ses pensées à Charline Crosse. Et s'il allait repérer le magasin de photo ? Non, il fallait d'abord réfléchir. Il se souvint de la serre tropicale, un lieu hors du monde et du temps où, détail important, il régnait une température agréable. En attendant l'heure d'ouverture, pourquoi ne pas s'offrir un tajine à la mosquée ?

Les volets clos et les rideaux tirés sur le jour sale plongeaient la chambre dans une obscurité presque totale. Allongée sous la courtepointe, Émilienne Bagot savourait l'agréable torpeur qui marquait le début de sa sieste. Elle avait mangé un bon plat de rognons aux macaronis, elle se sentait un peu lourde. Elle allait s'endormir quand brusquement elle eut très peur, elle percevait une légère respiration.

— Tosca ? C'est toi Tosca ?

Elle se rappela que la chienne était bouclée dans la cuisine. Elle tendit l'oreille, les pupilles dilatées. Sa main tâtonna, à la recherche de l'interrupteur.

Elle s'arma de courage, alluma et poussa un soupir de soulagement.

— Ah, c'est vous ! Vous m'avez effrayée. Mais… comment êtes-vous entrée ?

Charline Crosse se tenait à environ un mètre du lit. Débarrassée de son ciré, vêtue d'une robe moulante, elle paraissait plus élancée. Elle sourit à Émilienne, dénoua son foulard, révélant une masse de cheveux bleutés coiffés en chignon, puis elle leva le bras et d'un geste rapide arracha sa chevelure qu'elle jeta sur le lit. Son crâne lisse luisait faiblement sous l'éclairage blafard de la lampe de chevet. La vieille femme gémit. Sans cesser de sourire, Charline Crosse saisit alors son nez entre le pouce et l'index et tira dessus d'un coup sec. Émilienne ouvrit grande la bouche d'où un gargouillis s'échappa. Elle retomba en arrière, les yeux révulsés d'horreur. Elle ne sentit pas l'aiguille pénétrer dans sa veine et s'endormit instantanément.

— De la part de Marijo, murmura Charline Crosse.

Elle se baissa, tira un sac plastique de la poche de son ciré. La vue du logo *Le Plaisir du fruit* dessina un sourire sur ses lèvres. Elle se pencha au-dessus du corps inerte, enfonça le sac sur la tête, en noua les poignées sous le menton. Elle se recula avant de brandir le couteau à découper qu'elle avait trouvé dans le tiroir de la cuisine. Quand elle frappa de toutes ses forces, la lame s'enfonça à travers la courtepointe.

C'est drôle, pensa-t-elle en levant de nouveau son couteau, on désire une chose ardemment, on s'y accroche, et au moment où elle se réalise on n'éprouve pas le dixième du plaisir escompté.

Le sang imbibait lentement la courtepointe. Elle ôta son serre-tête en latex, ébouriffa ses cheveux du bout des doigts, puis ramassa la seringue, la perruque et le faux nez qu'elle fourra dans son sac. Avant d'enfiler son ciré, elle jeta un dernier coup d'œil au cadavre.

— Tu aurais dû le savoir, ma vieille, une langue trop longue raccourcit la vie.

Elle déposa le tome III des *Misérables* et *Les 500 Millions de la Bégum* sur la vaste poitrine de la morte, alla délivrer la chienne, sortit en refermant la porte à clé et retira ses gants.

Assis, la tête dodelinante sous les palmiers géants dont la cime s'écrasait contre la toiture de verre, non loin d'une grotte d'où ruisselait une petite cascade, Milo tissait un rêve de sable blanc, de sylve tropicale, d'océan argenté. Deux jeunes femmes nues à la peau brune, aux formes voluptueuses, l'éventaient nonchalamment. Il dérivait vers le sommeil tandis que l'astre de feu rougeoyait avant de sombrer derrière l'horizon. Ses rayons cramoisis s'estompèrent et furent remplacés par une sorcière rousse à lunettes qui s'envola jusqu'au sommet d'un minaret en ricanant : « J'aimerais bien aller chez les Turcs mais je n'ai pas les moyens ! »

Milo sursauta, la vision s'évanouit mais il conservait la musique de la petite phrase, elle tournicotait dans sa tête, plus exaspérante qu'un moustique. La voix de Charline Crosse ! Et soudain il sut qu'il n'était pas victime d'une aberration mentale, la voix possédait un imperceptible défaut de prononciation qui lui faisait transformer les consonnes sifflantes en sons chuintants. Sur le coup, cela lui évoqua quelqu'un qu'il avait connu autrefois, mais dont le nom et le visage se dérobaient. Plus il tentait de se concentrer sur cette ombre, plus cela produisait des projections incongrues : la plage, les palmiers, Gauguin, le sourire visqueux de Froggy, le queuton de Bobby, les jumeaux E.T. Il gagna la sortie, aussi irrité qu'un homme souffrant d'une démangeaison dans le dos hors de portée de sa main.

Ça suffit, oublie ça, se dit-il. Maintenant je vais rentrer, je promènerai Lemuel, je prendrai une douche, je boirai un ou deux cognacs en écoutant Sarah Vaughan, et quand j'aurai nettoyé ma cervelle, j'aviserai.

Lorsqu'il se retrouva chez lui, il fut saisi d'un sentiment angoissant de solitude. Le regard braqué sur le téléphone, il prononça plusieurs fois le nom de Nelly, prêt à toutes les bassesses pour la revoir au moins une fois. Mais il songea à l'abîme qui les séparait et renonça à l'appeler. Il était fatigué jusqu'à l'intérieur de ses os. Un petit somme avant le dîner lui remettrait les idées en place.

Le silence et le clair-obscur soulignés d'une touche de Debussy enveloppaient l'appartement. Il s'allongea et se mit à repasser mentalement les événements de ces derniers jours. Il fut envahi d'un malaise indéfinissable qui s'estompa peu à peu dans une somnolence à l'arrière-goût amer.

Dormir. Il coupa la radio.

Le rêve des nuits solitaires se faufilait insidieusement, se muait en fantaisies érotiques semblables aux remous d'un torrent. Son corps s'y roula jusqu'à l'épuisement.

Les automobiles trépignaient, pare-chocs contre pare-chocs, les bouches de métro avalaient la foule des employés qui sortaient du travail, les banlieusards montaient à l'assaut de la gare. La fille au baladeur s'engagea rue de Lyon, dépassa un restaurant chinois, *La Tour des souhaits*, et fit un vœu.

Quand elle s'avança dans la petite rue silencieuse bordée de pavillons d'où venaient de débouler un vieil homme et son chien, elle se crut transportée en province.

Quel endroit charmant ! songea-t-elle en regardant les fleurs et les arbustes en pots alignés de part et d'autre de la chaussée.

Après avoir vérifié le numéro de l'immeuble, elle entra. D'après les noms des locataires inscrits sur les boîtes à lettres, Milo logeait au second étage, et le vieux au chien juste au-dessus.

6

20 octobre

Milo reprit conscience, haletant, un peu ivre. Une aube grise filtrait à travers les rideaux. Assis à la tête du lit, Lemuel entamait son numéro d'hypnotisme.

— D'accord, vieux.

Commencer une nouvelle journée devenait aussi pénible que de faire démarrer une automobile en 1910. Il fallait déployer une énergie énorme, tourner la manivelle encore et encore. Le moteur crachotait, renâclait, s'arrêtait, prenait son élan, finissait par se résigner.

— Tu sais, Lemuel, je me sens rudement seul. Tu t'en fous, hein ? Manger, cavaler, roupiller, un plein de caresses et tout baigne pour ta pomme !

Lemuel bâilla, tourna vivement la tête : on cognait à la porte.

Blaise Le Branchu se tenait sur le seuil, tel un pointer flairant le gibier.

— Ah, monsieur Jassy, je suis content de vous trouver. Hier soir une dame a déposé un paquet pour vous, elle m'a prié de vous le remettre en main propre, paraît que c'est urgent. Je vous ai guetté jusqu'au journal télévisé et puis je me suis couché, l'heure c'est l'heure.

— Hier soir ? Mais j'étais chez moi hier soir, je suis rentré tôt, vers dix-huit heures.

— Vous n'avez pas dû l'entendre frapper, ou peut-être que vous étiez trop occupé pour ouvrir, ajouta-t-il avec un petit sourire entendu.

— Pardon ?

— Oh rien, rien.

— Vous voulez un café ?

— Non, non, le pipi de Bobby…

— Elle vous a dit son nom ?

— Je ne me suis pas permis de le lui demander.

— Elle était comment ?

— Aucune idée. Avec cette saleté de minuterie qui s'éteint à tout bout de champ, faudrait faire une pétition au propriétaire. Elle était habillée comme les jeunes d'aujourd'hui, en « bloudjin », bonnet de laine et écouteurs au cou, vous savez, ces machins qui rendent sourd. Vous voyez qui c'est ?… Non, vous voyez pas ?

Milo tressaillit.

— Un bonnet de laine ? Vous en êtes sûr ?

— Je vais vous faire une confidence, monsieur Jassy. La chevelure des femmes exerce sur moi un attrait très spécial. C'est la première chose que je remarque. Cette petite portait un bonnet de laine roulé, je n'ai même pas entrevu le bout d'une mèche. (Il se pencha légèrement et susurra d'un air égrillard :) Dites donc, monsieur Jassy, vous collectionnez les conquêtes, vous !

— Je n'y peux rien si toutes les femmes me courent après, grogna Milo en refermant sa porte.

Il posa le paquet sur la table. Il voulait l'ouvrir, et en même temps il ne le voulait pas. Jusqu'à preuve du contraire, il était libre : aucune femelle encagoulée ne le forcerait à lui obéir au doigt et à l'œil.

Lemuel lui jeta un regard suppliant, ses pattes avant glissèrent sur le parquet de l'entrée, celles de derrière restèrent aussi raides que des bâtons de chaise.

— Oh toi, ça va ! Fais comme moi, retiens-toi !

Le chien se redressa et le suivit à contrecœur dans la cuisine. Milo se fit chauffer un café. Il était d'un calme frisant l'indifférence. Debout près de l'évier, il observait la rue par la fenêtre. Il vit Blaise Le Branchu entraîner rapidement Bobby pour éviter Bachir qui sortait de l'immeuble.

Soudain, Lemuel poussa un gémissement inquiétant et fila se terrer sous le canapé. Milo sourit en contemplant la flaque au pied de la gazinière ; quel que soit le dénouement, la fin est toujours un soulagement. Il prit sa tasse, s'assit devant la table. Ses doigts effleurèrent le paquet, il arracha le scotch, déplia l'emballage. À l'intérieur se trouvait une édition assez courante de la collection Nelson : Victor Hugo, *Les Misérables*, tome III. Sur la feuille de garde s'étalaient de gros chiffres tracés au feutre noir : 462 463.

Il alla à la page 462. Certains mots avaient été surlignés en rouge. Il lui fallut plusieurs minutes pour les assimiler et réaliser que mis bout à bout ils formaient une phrase cohérente. Il attrapa un crayon, nota en marge d'un journal :

« Enjolras… poussa du pied le cadavre… Enjolras… dit… ce que cet homme a fait est effroyable… c'est pourquoi je l'ai tué… »

Il se relut d'une traite en remuant les lèvres. Il avait l'impression de regarder à travers une eau trouble et d'y percevoir des ombres menaçantes. Quelqu'un l'incitait à aller quelque part. Qui ? La fille au bonnet ? Ou bien n'était-elle qu'une messagère ?

Enjolras ! Il fallait réfléchir, comprendre ce que cachait ce nom !

Milo ferma les yeux. Il pressentait que ce passage des *Misérables* avait été sciemment sélectionné afin de titiller son penchant pour les jeux de l'esprit. Celui ou celle qui s'amusait à semer des petits cailloux sous ses pas connaissait son péché mignon : dénouer les énigmes, débusquer les erreurs, dénuder la vérité... Cette constatation eut sur lui l'effet d'une décharge électrique. Le problème se présentait sous un nouvel angle. Il repoussa sa chaise, se campa devant les rayonnages croulants de bouquins qui tapissaient le mur du fond : ce serait bien le diable s'il n'y dégotait pas le roman de Hugo !

Jetés en vrac sur la moquette où ils recrachaient leur poussière, les livres s'entassaient en piles instables. Lemuel risqua un œil. Pan ! Un *Larousse* s'écrasa à deux doigts de sa truffe.

— Je les tiens ! s'exclama Milo en exhumant les cinq tomes des *Misérables* dissimulés derrière *Le Guide des Égarés*.

Ses neurones grésillaient tandis qu'il consultait les tables des matières.

Il dénicha les paragraphes concernant Enjolras dans la quatrième partie du volume II, intitulée : *Les Amis de l'ABC*.

« Enjolras était un jeune homme charmant, capable d'être terrible. Il était angéliquement beau. C'était Antinoüs, farouche... »

— Mon portrait craché, Lemuel, seulement moi je préfère les femmes. Écoute ça :

« On eût dit, à voir la réverbération pensive de son regard, qu'il avait déjà, dans quelque existence précédente, traversé l'apocalypse révolue… »

Milo tressaillit. Déconnecté de la réalité, il relut cette phrase, focalisant son attention sur quatre mots qu'il répéta plusieurs fois à mi-voix : « dans quelque existence précédente… dans quelque existence précédente… ». Cette litanie l'envoyait explorer une contrée inconnue où s'éveillaient de lointains échos : existence précédente… réincarnation… je suis la réincarnation de Louise Michel… Louise Michel… Louise Michel. Il cadra un paysage flou qui peu à peu se précisa.

Un couloir obscur… Une vieille femme revêche… Une porte qui claque… Il est là, debout, la main crispée sur trois livres… Il lève le bras, suspend son geste, glisse les livres dans sa sacoche…

Mû par une de ces intuitions auxquelles sa vie semblait obéir, il se rua dans la chambre à coucher pour vider sa sacoche sur le lit. Il écarta les deux Jules Verne de la Bibliothèque Verte et s'empara de *La Vie ardente et intrépide de Louise Michel*. Il le feuilleta fébrilement, sauta l'hommage maladroit de l'auteur à la « Bonne Louise » pour tomber sur ces lignes :

« *Les Lueurs de l'ombre,* portant en sous-titre *Plus d'Idiots, Plus de Fous,* furent imprimées en partie dans les premières années de sa vie sous la signature d'Enjolras, nom qu'elle donnait pour les articles du *Cri du Peuple* de son ami Jules Vallès. »

— Enjolras-Louise Michel... la rouquine ! souffla Milo.

Poursuivant sa lecture, il apprit avec stupéfaction que Louise Michel était le véritable auteur de *Vingt Mille Lieues sous les mers*. Poussée par un pressant besoin d'argent, elle en aurait vendu cent francs le manuscrit inachevé à Jules Verne qui se serait contenté de terminer le livre en y ajoutant des chapitres de son cru.

— Qu'est-ce que c'est que ce scoop ? grommela-t-il. Jamais entendu parler de ça !

Il se baissa brusquement, tira son calepin de la poche de sa canadienne et consulta les renseignements fournis par Charline Crosse :

Rousse = Amélie Nogaret. Représentante en soutiens-gorge. Photographe face au marché couvert, quartier Mouffetard.

Il jeta un coup d'œil au message, remplaça Enjolras par Amélie Nogaret. Amélie Nogaret poussa du pied le cadavre... Il éprouvait une étrange sensation de détachement, comme s'il flottait à des kilomètres de son corps. Sa main griffonnait un labyrinthe orné de papillons, de chauves-souris, d'araignées velues. Un mot clignotait dans un coin : CADAVRE... CADAVRE... Il passa les doigts sur son front : CADAVRE... ROLAND... Dans une chambre froide gisait ce qui restait d'un homme nommé Roland Fresnel. Quelqu'un s'était servi d'un sac en plastique et d'un couteau pour anéantir cette somme de désirs et d'émotions dont il ne demeurait qu'une défroque exsangue vouée à la pourriture !

Milo grimaça, le sternum bloqué. La vision de Roland étouffé, emprisonné dans un caveau, l'emplissait d'horreur. Il se traîna jusqu'à la fenêtre, pencha le buste à l'extérieur, aspirant goulûment. Tout à coup, son dos lui fit mal, un fardeau le forçait à ployer l'échine, l'entraînait irrésistiblement vers la source de ses tourments… Un été en colonie de vacances l'année de ses dix ans… Une plage normande. Il distinguait une image en camaïeu, le ciel gris, deux silhouettes plus claires, ses copains René et Freddy.

— Inspirez, soufflez ! Inspirez, soufflez ! Hop, hop, hop, hop !

Les torses se gonflaient à exploser avant de se vider comme de vieux sacs, un peloton de gamins en slip cavalaient derrière le moniteur.

— Plus haut, les genoux !

Trois tire-au-flanc se détachèrent des rangs.

— Grouillez-vous, les mecs ! On va se planquer dans les fortifs, là on nous foutra la paix.

Le plus petit pila net devant la masse cubique dressée face à la mer.

— Moi, je vous attends ici, on risque de se péter la tronche sur une grenade boche.

— T'es qu'un minus, René, dit Freddy. Et toi, Milo ? J'parie que tu te dégonfles de sauter dans l'trou d'balle d'Hitler.

Milo hésita. Le blockhaus était percé d'une bouche noire qui s'enfonçait sous terre. Un puits sans fond.

— Si j'avais une corde et une lampe, j'irais.

— Tu parles, t'as la trouille, oui !

— Non, j'ai pas la trouille, la preuve.

Il s'accroupit à l'extrême bord de l'étroit goulet et se laissa glisser sur les fesses. C'était amusant, un toboggan.

Brusquement la pente se fit raide. Il tenta de freiner avec les pieds, perdit tout contrôle, s'affola, ne put se raccrocher à rien. Il était aspiré.

Un choc. Du sable entre les dents, et cette douleur à la cheville. Il voulut se redresser. Son visage heurta quelque chose de rugueux, froid, gluant. Il hurla. Seul un faible couinement s'échappait de sa poitrine.

Le silence.

Une nuit poisseuse noyait ses poumons, ses yeux, ses oreilles. La terreur lui serrait lentement la gorge, comme un nœud coulant. Il était prisonnier. Il allait mourir. Les ténèbres s'étaient refermées sur lui.

On ne le délivra qu'à la tombée de la nuit.

Milo vit un ciel bleu sans nuages, des toits, des cheminées, des antennes de télé, et cette peur atroce de l'enfermement qui le hantait depuis l'enfance s'évanouit pour céder la place à une colère sourde. Il alluma une cigarette. Une femme rousse, Amélie Nogaret, avait assassiné Roland. De quel crime effroyable s'était-il rendu coupable pour que la mort lui fasse ce croc-en-jambe ?

— Il faut que je rende une visite à ce photographe, affirma-t-il tout haut.

Le simple énoncé de ces mots lui insuffla une énergie nouvelle. Il croisa le regard éloquent de Lemuel. Il hésita. Sa raison lui déconseillait d'accomplir un acte insensé simplement pour se prouver à lui-même qu'il pouvait agir.

Et merde !

Il noya son mégot dans la tasse de café.

L'air était doux. Milo prit plaisir à longer la rue Descartes, puis la rue Mouffetard. Il avait souvent parcouru ce quartier aux heures où le marché bat son plein. Les cris, les couleurs y composaient un décor qui semblait planté pour le tournage d'un film, mais, en ce matin encore jeune, l'atmosphère était différente. Il avait l'impression d'être un voyageur égaré en pays lointain. Sans maquillage, sans fanfreluches, les rues offraient leur nudité tiède et lisse, révélant entre deux boutiques closes des échappées sur le silence d'une cour pavée.

Il fit un détour par la rue Vauquelin où l'alignement de quelques pavillons de brique paraissait avoir déposé un coin des Flandres. La circulation fluide, la rareté des passants incitaient à la rêverie et, l'espace d'un instant, il se crut revenu à une époque qu'il eût aimé connaître, les années cinquante.

Lorsqu'il atteignit la rue des Patriarches et qu'il découvrit, serré contre une laverie, le petit magasin de photo, il se dit que c'était un lieu vraiment romanesque pour entamer des recherches. Une fugitive impression de déjà vu l'incita à lever la tête vers les deux fenêtres de l'unique étage, persuadé qu'un fantôme allait s'y profiler. Mais elles restèrent aveugles et il poussa la porte.

Tournant le dos à la rue, une femme classait des rouleaux de pellicule derrière un comptoir. Au tintement du carillon, elle se retourna.

— Vous désirez ?

La tessiture grave, veloutée de sa voix le submergea d'une émotion inattendue, et quelque part au tréfonds de lui, son armure s'effrita. Quel âge avait-elle ? Vingt-deux, vingt-trois ans ? Il eut conscience d'être trop raide, il entendit sa propre voix venir de très loin.

— Je cherche quelqu'un.

— Un de mes clients ?

Il acquiesça d'un signe de tête. Le téléphone sonna.

— Excusez-moi, dit-elle.

Son corps exhalait une odeur fraîche, légèrement acidulée. Elle tendit la main, attrapa un registre, lui sourit. Il sentit monter en lui le besoin de noyer la sécheresse de sa vie sous une passion amoureuse, une passion aussi vive que celle éprouvée jadis pour Nelly.

Elle raccrocha.

— De quoi s'agit-il ? Je vous écoute.

Elle avait l'air de lui donner un ordre, comme à un gamin.

— J'ai perdu la trace d'une amie… enfin, l'amie d'une amie.

— En quoi suis-je concernée ?

— On l'a vue entrer chez vous, elle n'en est jamais ressortie.

Elle réprima un mouvement de surprise.

— C'est normal, répondit-elle d'un ton égal, ce magasin n'est qu'une couverture, en réalité je pratique la traite des Blanches.

Il devinait en elle, alliée à une certaine fragilité, une force que Nelly n'avait jamais possédée. Partagé entre l'excitation et la timidité, il hésitait à parler.

— Qu'attendez-vous de moi ? demanda-t-elle avec impatience.

— Cette amie… Elle est rousse, elle a disparu, nous sommes inquiets, peut-être vous rappelez-vous l'avoir vue ?

— Vous êtes de la police ?

— Oh non, je suis bouquiniste, vous savez, les petites boîtes vertes le long des quais de la Seine.

— Ah oui, les tours Eiffel, les gargouilles, les pin's, les Poulbot.

— Les livres également, surtout les livres.

Sa façon de le dévisager d'un air espiègle autant qu'agressif aviva son désir, des pensées qu'il eût préféré refouler traversèrent son esprit. Il aimait la forme de sa bouche, le gris de ses yeux, les reflets de ses cheveux. Comment la séduire ? Il lui faudrait déployer les trésors d'une éloquence qui lui faisait défaut, rajeunir, embellir, être un autre…

— Écoutez, je voudrais bien vous rendre service, reprit-elle, mais les clients vont et viennent, je ne suis pas payée pour les… Qu'entendez-vous par « elle n'est jamais ressortie de chez vous » ?

— La personne qui l'attendait a probablement eu un moment d'inattention, notre amie a dû repartir sans qu'elle s'en aperçoive. Votre magasin est le dernier endroit où…

— Dites, cette façon de procéder ressemble beaucoup à une filature.

— La personne qui la suivait cherchait à… la protéger d'un danger.

Il se sentait de plus en plus gauche. Qu'allait-elle imaginer ?

La porte s'ouvrit, un client lui tendit un ticket. Elle grimpa sur un escabeau pour prendre sa commande. Il l'observa. Elle devait mesurer quelques centimètres de moins que lui, il en fut heureux. Son pull et son jean soulignaient des courbes pleines qu'il s'imagina caresser. Se traitant d'imbécile, il fixa le portrait en pied d'un couple de mariés souriant béatement à l'objectif. Feraient-ils tant de tralalas le jour du divorce ?

Le client s'en alla.

— Tout ce que je peux vous proposer, dit-elle, c'est de regarder dans mon fichier si quelqu'un répond au nom de… Comment s'appelle-t-elle, votre amie ?

72

— Amélie Nogaret.

Elle lui tendit une carte de visite.

— Téléphonez-moi dans la semaine.

Invite-la à prendre un verre, ne pars pas si vite !
Elle lui adressa un sourire poli. L'entretien était
terminé. Milo jeta un coup d'œil à la carte.

— Laura Forest, lut-il. C'est un joli nom.

Elle le remercia d'un petit mouvement de tête.

La porte se referma. Chassé du paradis, il s'éloigna à regret, marmonnant un « non, tu ne dois pas,
rappelle-toi ce pauvre Orphée ». Mais il n'avait pas
fait dix mètres qu'il se retourna. Rêvait-il ou la
mince silhouette de la jeune femme se profilait-elle
face à lui, derrière la vitrine ?

Le cœur un peu moins lourd, il se dirigea vers
le métro et se surprit à siffloter *Laura*.

Le dos appuyé à la porte de la chambre, la fille
au baladeur déplia la première édition du journal.
Négligeant les manchettes, elle ne s'intéressa qu'à
la page 9 relative aux faits divers. Ils avaient découvert le corps de la vieille ! C'était là, un article
de quelques lignes entre un CAMION INCENDIE et un
ATTENTAT EN CORSE.

La fille au baladeur se détendit, une onde brûlante
courut le long de sa colonne vertébrale. Elle posa le
journal, s'installa devant la table, attrapa les ciseaux
et se mit au travail. Elle ressentait une vive satisfaction à découper un à un les caractères gras des
gros titres. Avant de les aligner méticuleusement
sur une enveloppe, elle les enduisit de colle : une
consonne, une voyelle, une consonne, une voyelle,
un espace, une consonne. Elle glissa l'entrefilet de
la page 9 à l'intérieur de l'enveloppe dont elle colla

le rabat, puis se penchant vers la radiocassette elle pressa un bouton.

> *Show her the way,*
> *and maybe one day I will free her*[1].

Le son en sourdine libérait ses fantômes, elle crut entendre leurs voix désincarnées chuchoter dans la chambre : « Le crime ne paie pas, ma petite ! » Elle secoua la tête, leva une main comme pour chasser une mouche et eut envie de rire, car d'un point de vue éthique ce truisme ne valait pas tripette. Si une chose sur cette terre produisait d'abondants profits, n'était-ce pas le crime sous toutes ses formes ?

> *Oh baby, baby, it's a wild world*[2]...

Repose-toi, Marijo, tout ira bien, tout ira bien, je suis vivante.

Elle avait presque envie de pleurer. Il lui avait fallu beaucoup de courage : séduire Roland Fresnel, prétendre éprouver du désir pour lui. Il l'avait prise dès leur deuxième rencontre, à même le sol de la librairie, comme une bête en rut. L'imbécile, il avait payé.

Elle frissonna. Personne à qui parler, rien d'autre à faire qu'attendre, coupée du monde, seule avec ses fantasmes, encore plus seule que la fille de la chanson :

> *She hangs her head and cries in my shirt*
> *She must be hurt very badly*[3]...

Ce n'était pas de la patine, cette couche jaunâtre dont semblaient beurrées les touches de l'accordéon,

---

1. *Sad Lisa*, chanson de Cat Stevens.
2. *Wild World*, chanson de Cat Stevens.
3. *Sad Lisa*, chanson de Cat Stevens.

mais bien de la crasse. Milo se gonfla pour occuper sa place entière, le porteur du piano à bretelles l'acculait contre la vitre. Aussi jaune et décati que son instrument, il égrenait ses notes, les yeux à demi clos sous un feutre posé de travers, laissant à ses doigts déliés le soin d'assumer le boulot.

Quant à celui qui interprétait *Marcelle* de Boby Lapointe d'une voix pas très assurée mais avec tant de conviction que le wagon en pleurait de rire, aucun doute, c'était Selim. Ses cheveux ébouriffés, ses bras battant la mesure accompagnaient de leurs tressautements les rimes de la rengaine :

Elle a l'œil vif, la fesse fraîche et le sein arrogant !
L'aut'sein, l'autre œil et l'autre fesse itou également !

Selim pirouetta vers deux filles hilares tout en modulant son refrain :

Marcelle
J'ai fait la vaisselle
J'ai descendu la poubelle
Marcelle...

Milo s'était tassé sur la banquette, espérant passer inaperçu. Le regard de Selim l'effleura au moment où la rame entrait en gare. Il se leva d'un bond et sauta sur le quai. Il attendit le métro suivant, tiraillé entre l'amusement et l'irritation. Pourquoi Bachir lui avait-il raconté des bobards ? Son cousin faisait la manche, l'épicerie avait bon dos ! Il se vit surmonté d'une pancarte où s'étalait le mot SUCKER.

Longer la rue Dauphine, soulever ses couvercles, installer son étalage, cette dépense physique tempéra son agacement. Assis sur son pliant, il leva la tête vers une vieille dame appuyée sur une canne qui lui fit un large sourire au passage. Cela lui porta chance.

Il réussit à vendre une *Vie de saint Ambroise*, deux gros pavés dont il n'espérait plus se débarrasser. Puis une femme se précipita sur sa première boîte pour en extraire un Pierre Loti illustré par Sylvain Sauvage qu'elle paya rubis sur l'ongle. Un signe amical, deux bonnes ventes, il y avait des jours comme ça où le métier de bouquiniste lui paraissait le plus beau du monde.

Stella n'était pas là et, vu l'heure tardive, Milo se disait qu'elle ne viendrait plus. Elle déboula, essoufflée, vêtue d'une minijupe vert prairie et d'un ciré orange fluo.

— M'est arrivé une tuile, je retrouvais plus mes clés, j'les avais oubliées dans la veste que j'ai portée au pressing, heureusement ils n'l'avaient pas encore nettoyée, mais figure-toi que j'avais paumé l'ticket et ces enfoirés voulaient pas m'les rendre ! J'ai fait un barouf du diable, ils ont fini par m'les r'filer, ces foutues clés, quand j'm'y mets ça s'entend, tu peux m'croire !

Milo la croyait sur parole. Il était de si bonne humeur qu'il lui proposa de l'aider. Elle le fusilla du regard.

— Tu t'figures que j'ai la tête au cul parce que j'ai couru ?

Il ne se figurait rien de tel, l'affirma, retourna s'asseoir et put enfin ouvrir son livre, un *space opera* des années cinquante. Le héros venait de désintégrer son cinquième Vénusien lorsque Milo décela une présence. Se dandinant d'un pied sur l'autre, Selim faisait craquer les jointures de ses doigts.

— Salut, Milo… À propos de tout à l'heure, je voulais te dire, t'expliquer…

— C'est ton problème, tu es libre, répliqua plutôt sèchement Milo. Tu as escamoté ton accordéoniste ?

— Diego ? Oh, il fait la ligne 4 dans les deux sens. On se retrouve ce soir.

— Et quand as-tu entendu l'appel de ta vocation ?

— J'ai toujours aimé chanter. L'année dernière, à la Braderie de Lille, j'ai rencontré Diego. On a mis au point un numéro. Lui, il repartait sur Paris. On est restés en contact.

— Et ça nourrit son bonhomme, la chansonnette ?

— Je débute. Tu sais, Diego a des tas de relations, tôt ou tard ça va marcher.

— Et quand te loueras-tu une chambre ? Tôt, ou tard ?

Selim s'apprêtait à répondre quand Stella bondit vers eux, rouge de colère.

— Tu sais pas c'qu'ils ont eu l'culot de m'demander, ces entubés d'Espingouins ? « Vos poudriers, ils sont désinfectés ? » Et tu sais c'que j'leur ai balancé ? « Et ton cul, il est désinfecté ? »

Milo se leva avec un soupir, tira une cigarette de son paquet. Selim gloussa avant de rire franchement.

— Vous avez de la repartie, madame… mademoiselle…

— Mademoiselle, éructa Stella.

— Ça c'est envoyé ! On dirait du Guy Bedos.

— Vous trouvez ? En fait, moi, c'est actrice que je voulais faire, mais ma mère a pas voulu, elle disait que c'est une profession où on couche.

— Nous avons quelque chose en commun, vous et moi.

— Vous vouliez être dans le spectacle ? demanda Stella en minaudant.

— Pour tout vous avouer, je chante.

— Et je t'assure qu'il possède un bel organe, Stel… Henriette ! précisa Milo.

— Oh, toi, arrête de dire des cochonneries et fais plutôt les présentations.

— Henriette, Selim. Selim, Henriette, la spécialiste du souvenir de Paris, la star des tour-opérateurs. Tu sais, c'est difficile de travailler comme elle, en flux tendu.

— Merde, Milo, sois poli, quoi ! rugit Stella, qui s'élança sur une grappe de Japonais en arrêt devant l'irrésistible sourire de Monna Lisa.

— Chouf la fatma, souffla Selim. Tu crois que j'ai une chance ?

— Elle ? Mais elle est… Enfin, ce n'est peut-être pas tout à fait ton genre.

— Justement, si. J'aime les femmes aux formes généreuses, pas ces fils de fer qu'on voit dans les magazines, non, les vraies femmes, avec des seins, des cuisses, des… enfin tout quoi. En plus elle est marrante. Oui, elle me plaît.

Milo lui jeta un regard songeur. Ce petit Selim était un chaud lapin, la convoitise allumait son regard comme s'il avait devant lui la promesse d'un festin. Milo pensa avec mélancolie à ses piètres tentatives de séducteur.

Stella roula ses reproductions, encaissa et revint vers eux, la mine réjouie.

— Ils m'ont pris douze *Joconde*, tu te rends compte, Milo ? Qu'est-ce qu'ils vont bien pouvoir en faire ?

— Sans doute en tapisser leurs chiottes, lança-t-il en aspirant une longue bouffée de sa cigarette.

— Tu dis ça parce que t'es jaloux !

— Ils les encadreront et les accrocheront au-dessus de leur tatami, suggéra Selim, et chaque fois qu'ils pratiqueront l'aïkido, ils se rappelleront votre beau sourire.

Stella en resta médusée, puis elle tapa sur l'épaule de Selim.

— Vous, vous êtes un drôle de baratineur. Vous devez faire des ravages ! Vous seriez Scorpion que ça ne m'étonnerait pas !

— Fantastique ! Comment avez-vous deviné ?

— Ah, ah, j'ai mes petits talents moi aussi.

— Je parie que vous êtes Vierge !

Quand le fou rire qui plia en deux Stella se calma, elle hoqueta :

— Non, je suis Poissons !

Pas étonnant qu'elle soit toujours assoiffée, pensa Milo.

— C'est un signe qui vous colle à la peau, dit Selim. Les Poissons sont très intelligents, à cause du phosphore.

— Ben vous en savez, des choses. Remarquez, j'aurais dû m'en douter, pour être ami de Milo faut avoir d'la cervelle, il dévore sans arrêt ! Tiens, dis-nous un peu dans quel bouquin t'es fourré en c'moment, Milo !

Il leur montra la couverture bariolée de son roman.

— Je connais ce genre d'histoire, remarqua Selim d'un ton sentencieux. Dans le dernier que j'ai lu, un savant prédisait que le soleil mourra d'ici quatre à cinq milliards d'années.

— Ça nous fait une belle jambe, on aura cassé not'pipe bien avant, alors c'est pas ça qui va nous mettre la rate au court-bouillon ! Dis, Milo, tu zieutes ? J'invite ton copain le chanteur à v'nir me pousser la romance au bistrot.

Il les regarda traverser. Il enviait leur joie de vivre, leur jeunesse, il aurait donné n'importe quoi pour devenir un de ces abominables machos qui dans les films tombent toutes les femmes. Il essaya de se concentrer sur sa lecture, les lignes dansaient sous ses yeux. Il songea à la petite photographe. C'est chaque fois pareil, on se croit blindé… Quand Nelly l'avait quitté, il n'avait pu admettre que c'était terminé, il avait un tel besoin d'elle. Il était resté sous le choc pendant des mois, certain que c'était la fin de sa vie, que jamais plus il n'y aurait de recommencement. On se croit blindé mais heureusement, on ne l'est pas.

— Zut, c'est trop con ! s'écria-t-il soudain, provoquant le ricanement de deux ados.

S'il sautait dans un bus en vitesse, avec un peu de chance Laura Forest serait encore là. Il décrocha ses paquets de gravures et bouscula un homme penché sur l'étalage.

— Vous fermez déjà ?

— Oui, j'ai un mot d'excuse.

Il était revenu. Le cœur de Laura se mit à battre plus vite. Elle prit les négatifs de Mme Lefort, lui donna un reçu, vendit une bague-allonge à un jeune homme, lui expliqua comment la visser sur son appareil, encaissa, compta la monnaie, attendit qu'il sorte. Alors, seulement alors, elle se composa un masque impassible et se tourna vers Milo.

— Vous avez oublié quelque chose ? demanda-t-elle comme s'il était la dernière personne au monde qu'elle s'attendait à voir.

Il eut un rire embarrassé. L'image qu'il s'était forgée de celui que rien ni personne n'impressionne se ternit brusquement face à l'indifférence courtoise de la jeune femme.

Elle l'examinait avec curiosité, étonnée de cette bouffée d'espoir qui montait en elle. Elle s'interrogea : pourquoi cet homme lui inspirait-il une telle émotion ? Il ressemble à un orphelin avide de tendresse.

— Je suis revenu pour...

Au bord de la confidence, un sursaut de pudeur le retint, il craignit de paraître ridicule. Il inspira profondément avant de lâcher tout à trac :

— Vous avez remarqué, au cinéma les types débitent des boniments du style « dès que je vous ai vue j'ai ressenti un choc, je n'en ai pas fermé l'œil de la nuit, c'est la première fois que... ».

Il se tut, à court d'inspiration, se maudissant intérieurement de ne pas posséder le bagout de Stella.

— J'évite ce genre de film, dit-elle d'un ton sec. Je suppose que vous n'avez jamais entendu parler de *Brève Rencontre* ?

— Si, ça finit mal... À propos, je m'appelle Milo.

— C'est pour me l'apprendre que vous êtes revenu ?

Il parut accorder un brusque intérêt à un présentoir de piles sur un coin du comptoir, s'octroyant quelques instants pour se montrer irrésistible.

— Je voulais vous inviter à dîner, lança-t-il enfin d'un air conquérant.

— Non merci, je suis prise, ce soir et tous les autres soirs.

Elle lui tourna le dos, fit semblant de classer des pellicules. Le carillon tinta, il était parti.

Milo remontait la rue Crémieux à pas de tortue, cherchant les mots capables de traduire ce qu'il éprouvait. Ses pensées revenaient sans cesse à la petite photographe et à la façon blessante dont elle l'avait éconduit. Il se sentait humilié. Lui avait-elle menti à propos de la rousse ? Il se dit qu'il ferait mieux de cesser ce dialogue permanent avec lui-même s'il ne voulait pas perdre la boule.

Il aperçut Bobby traînant Blaise Le Branchu au bout de son interminable laisse et s'empressa de siffler Lemuel. Le chien déposa une ultime et modeste flaque contre une jardinière, piqua un sprint et s'engouffra sous le porche. Il escalada l'escalier à sa suite. Un mince rai de lumière tombait de la lucarne sur une forme sombre se confondant presque avec le mur. En un flash à la Hitchcock, il se vit lentement étranglé par une rouquine armée d'un soutien-gorge à armature taille 105. Il tâtonna à la recherche de l'interrupteur.

— Nelly ! C'est toi ! Qu'est-ce que tu fais là ?

— Je suis venue. Je t'attendais. C'est ton chien ?

— Oui, il ne mord pas le facteur. Entre.

Grâce aux rideaux tirés, le désordre de l'appartement semblait moins apparent. Il alluma faiblement l'halogène, ramassa les vêtements épars.

— Je vais faire du café, dit-il.

— Pas pour moi. Tu as une cigarette ?

Il lui donna du feu, roula le duvet de Selim, l'invita à s'asseoir sur le canapé. Elle demeura debout.

— Alors ? demanda-t-il.

— Je suis là, Milo. J'avais besoin de te voir, de te parler.

— Je t'ai téléphoné plusieurs fois, j'ai pensé que tu avais rejoint ton mari et ta fille à Boston.

— Oh non, ma belle-famille me bat froid, c'est réciproque.

Il la dévisagea un court instant, elle était plus jolie que jamais.

— Comment vas-tu, Nelly ? (Il se sentit faible tout à coup, il ajouta très vite :) Je suppose que tu es heureuse ?

— On pourrait l'imaginer, répondit-elle d'un ton monocorde.

Il se rendit compte qu'il n'aurait pas dû dire cela, elle venait de perdre son frère, elle avait du chagrin. Il se traita d'imbécile.

Elle détourna le regard, fixa la porte entrebâillée de la chambre à coucher.

— Pardonne-moi si je suis indiscrète, tu as quelqu'un ?

— Non, pas en ce moment, enfin...

Il venait soudain de comprendre le sens de sa question.

— Oui, j'ai quelqu'un.

— Comment est-elle ?

À présent qu'il avait commencé à mentir, impossible de se rétracter.

— Elle est sans exigences, c'est la femme qu'il me faut.

— Ce qu'il te faut, Milo, c'est une femme de ménage.

Il la considéra, incrédule. Si elle avait souri en lâchant ces mots, il aurait bien pris la chose, mais elle évaluait l'encombrement des pièces avec une expression de moquerie méprisante. Ils s'affrontèrent en silence. Il remarqua les petites ridules autour de ses yeux, les plis amers aux coins de sa bouche.

— Bon Dieu, Nelly ! Tu ne t'es tout de même pas dérangée pour me dire ça ? Tu dois te sentir très seule dans ton hall de gare nickelé !

Sous un ton qu'il voulait uni et posé perçait une joie mauvaise à la blesser à son tour.

— Roland a été enterré hier, souffla-t-elle.

Elle laissa tomber son manteau à ses pieds. Elle portait une robe de cotonnade et des talons plats, ses longs cheveux noués en queue de cheval lui donnaient l'allure d'une gamine paumée. Il restait planté là, face à elle, incapable de prononcer la moindre parole réconfortante. Il était censé la prendre dans ses bras, lui tapoter la tête, lui assurer que le temps arrangerait tout. Au lieu de cela, il dit d'une voix blanche :

— Tu aurais dû me prévenir.

— Désolée, j'ai pensé que c'était mieux ainsi, vous étiez fâchés, non ? Et puis je sais combien tu détestes assister à des funérailles.

— La police t'a questionnée à mon sujet ?

Il vit une brève lueur s'allumer dans ses yeux.

— Non, pourquoi ?

— Les flics ne m'ont même pas demandé de venir déposer.

— Ils ignorent peut-être ton existence.

— L'homme invisible, hein ?

Elle secoua lentement la tête et murmura :

— Tu sais, j'ai traversé une période vraiment pénible, tout a été tellement dur... Si la police ne t'a pas convoqué, c'est qu'elle n'a aucune raison de le faire. Qu'est-ce qui te préoccupe ? Tu n'as rien à te reprocher.

— Non, bien sûr que non. Viens t'asseoir.

Elle se glissa près de lui. Il sentait la pression de sa cuisse contre la sienne. Brutalement, son esprit le ramena au jour où elle l'avait quitté. La tristesse l'envahit. Ces années de solitude avaient anesthésié la souffrance de la séparation, et voilà que d'un coup elles cédaient la place à un intense regret proche du désir. Il écarta imperceptiblement sa jambe, conscient du trouble que Nelly faisait naître en lui.

— Je vais te raccompagner, proposa-t-il.

— Non, non, pas encore, garde-moi, Milo, juste un petit moment, j'ai besoin de toi.

— Je ne veux pas, répondit-il sombrement, je ne saurai jamais si tu es sincère ou non.

— Milo, je t'en prie.

Elle l'entoura vivement de ses bras, promena ses lèvres sur son visage.

— Attends, Nelly, non…

De petits becs pointus picoraient ses entrailles, il tenta de résister et fut effrayé de voir renaître d'anciens sentiments oubliés. Elle lui déboutonnait sa chemise, desserrait la ceinture de son jean, posait ses doigts sur son ventre. Il la laissa explorer sa nudité, s'abandonna pour perdre tout repère. Elle se déshabilla. Il effleura légèrement ses seins, ses hanches, avança la main vers sa chaleur en murmurant des mots trop longtemps retenus, étonné de découvrir, même en cet élan où il ne cherchait que l'oubli de lui-même, qu'il ne pouvait se passer de tendresse. Elle l'embrassa avec une sorte de désespoir, écrasa sa bouche sur la sienne, inséra sa langue entre ses dents, se cramponna à son cou, exprimant un désir aussi ardent que le sien.

À son tour il ôta ses vêtements et s'allongea sur le côté pour épouser son corps.

Le soir ne se hâtait pas de clore cette journée où un soleil trompeur avait déguisé octobre en mai. Assise à la terrasse d'un bistrot de la Contrescarpe, Laura se sentait aussi misérable que le brin d'herbe malingre qui s'obstinait à pousser au bord du trottoir.

Pourquoi avait-il fallu qu'elle se conduise comme une idiote ? Elle aurait dû accepter les risques. Un dîner, un simple dîner ! Je n'ai jamais commis une telle erreur de toute ma vie, se dit-elle. Elle était soudain furieuse contre lui, il l'avait draguée puis lâchée aussitôt. Te voilà bien avancée d'avoir joué les coquettes avec un écorché vif. Elle reprit espoir. Je passerai sur le quai...

« Tiens, vous êtes là ? Quelle surprise ! Vous savez, l'autre jour, j'avais oublié de vous dire... »

Lui dire quoi ?

— Et pour la petite dame, un café et un grand verre d'eau comme d'habitude ?

Le garçon s'éloigna.

C'était encore la période calme qui précède la grande invasion des restaurants. Deux gamins shootaient dans une boîte de conserve. À l'orée d'une fenêtre, au rez-de-chaussée d'un immeuble, une femme cria :

— Sofiane, Naroual, rentrez en vitesse faire vos devoirs !

Laura se laissa glisser contre le dossier de sa chaise. Cette voix l'emmenait vers une autre voix, la voix de sa mère...

« Laura, rentre directement après l'école, tu as compris ? »

Elle devait écouter les solennelles mises en garde où il était question des épouvantables dangers que courent les petites filles qui traînent dans les rues. Elle n'avait jamais eu d'ami, elle vivait coincée entre l'école, la cour et l'appartement, un deux-pièces cuisine avec une cabine de douche près des toilettes. En se penchant à la fenêtre, elle parvenait à voir une portion congrue de la rue de la Roquette et, à l'angle, le salon de coiffure où sa mère faisait des coupes-brushings, des mises en plis et des teintures aux ménagères du quartier. Elle ne connaissait son père qu'en photo. Lorsqu'elle parlait de lui, sa mère disait « ce coureur », « ce sale type », ou « l'autre » quand elle était bien lunée. Dans ses grands moments de tendresse, il lui arrivait de la serrer à l'étouffer, elle lui faisait alors jurer de ne jamais la quitter, surtout pas pour un homme, « tous des salauds qui n'attendent qu'une seule chose ».

Le soir, avant de s'endormir, elle pensait aux films qu'elle avait vus. Elle se relevait tout doucement, montait sur une chaise pour se regarder dans la glace au-dessus de la cheminée. Les yeux presque clos, elle faisait glisser sa chemise de nuit, contemplait son corps et s'inventait un monde où l'on pouvait goûter des aventures heureuses. Elle se promettait que rien ni personne n'aurait d'emprise sur sa vie, plus tard, le jour où elle serait libre.

Laura frissonna. Elle paya son café, se leva. Un à un, les lampadaires s'allumaient. À pas lents, elle retourna vers la rue des Patriarches, dépassa le magasin de photo. Il était encore trop tôt pour affronter ses fantômes.

Nelly jeta un coup d'œil à sa montre. Entortillé dans le duvet, Milo respirait lourdement. Elle se dégagea de son étreinte et ramassa ses vêtements. Après s'être rhabillée rapidement, elle ouvrit son poudrier et, dans le petit miroir, vit son regard fixé sur elle.

— Tu pars déjà ? Je vais venir avec toi, dit-il.

— Inutile, je prendrai un taxi. Tu m'appelles ou je t'appelle ?

Il se redressa sur un coude.

— Écoute, Nelly, tu es mariée, tu as un enfant…

Laissant tomber le poudrier dans son sac, elle détourna la tête.

— Je vois. Tu as eu ce que tu voulais et maintenant tu me jettes, lança-t-elle d'une voix tranchante.

Milo poussa un bruyant soupir. Comment lui faire admettre que la partie était perdue d'avance ?

— Je suis triste que tu puisses m'attribuer un tel comportement. Je te ferai simplement remarquer que l'initiative te revient.

Elle le dévisagea comme s'il venait de la gifler.

— Sale hypocrite ! Si tu ne me l'avais pas demandé, je n'aurais jamais commis l'erreur de céder à tes jérémiades !

Stupéfait, il se redressa.

— Aurais-tu l'obligeance de m'expliquer ?

— Tu me prends pour une idiote ? Si tu n'avais pas glissé ton billet doux sous ma porte, rien ne se serait passé !

— Je ne t'ai pas écrit, Nelly, je ne suis pas retourné chez toi depuis samedi, tu dois confondre avec un autre type, dit-il avec lassitude.

— Salaud ! s'écria-t-elle, folle de rage. Tu n'es qu'un minable, tu as toujours été impuissant face à tes propres désirs, tu ne… Qu'est-ce que c'est ?

Elle se figea. Milo perçut un bruit de clé, le vestibule s'alluma. Nelly poussa un petit cri de surprise. Dressé dans l'encadrement de la porte un grand jeune homme aux cheveux hirsutes les dévisageait avec embarras.

— Excusez-moi, je ne savais pas, je suis désolé, murmura-t-il en reculant, je m'en vais tout de…

Il sursauta. Milo venait de jaillir du canapé dans le plus simple appareil.

— Merde, Selim, c'est pas un moulin !

Pétrifié, Selim n'osait plus bouger à présent. L'expression menaçante de Milo eut soudain raison de sa paralysie et il se précipita sur le palier en criant :

— Ne vous dérangez pas pour moi, je peux attendre !

— Saleté de vacherie de... grommela Milo empêtré dans son slip.

Les yeux braqués sur la porte restée grande ouverte, Nelly se tenait très raide, les traits durcis par la colère. Elle se retourna lentement.

— Tu avais raison, la femme de ta vie est sans exigences, comme c'est touchant ! fit-elle avec une moue méprisante.

— C'est un ami, je l'héberge pour quelques jours. Bon, stop, terminus, je descends. Il y a longtemps, j'ai vécu avec toi quelque chose de très fort, aujourd'hui je ne me contente plus de miettes, riposta froidement Milo.

Elle rougit. Ses lèvres se crispèrent sur une douleur muette. Elle courut vers l'entrée.

— Tu vas le regretter ! cria-t-elle.

Il écouta ses pas décroître dans l'escalier. Il leva instinctivement la tête vers le buste de terre cuite qu'elle avait fait de lui au début de leur vie commune. Elle s'était donné beaucoup de mal pour retrouver les proportions exactes de ses traits, mais le résultat n'avait que peu de rapport avec l'original. Pourtant il aimait ce double maladroit qui lui rappelait une période heureuse de son existence. Tout comme il s'était attaché à l'esquisse au fusain, une autre de ses œuvres pour laquelle il avait dû poser des heures. Elle n'avait guère de dispositions artistiques, mais à l'époque je comptais encore pour elle. Pauvre Nelly... Pourquoi la plaignait-il alors qu'il aurait dû la détester ? Il passa sous la douche et se laissa fouetter par le jet jusqu'à ne plus pouvoir le supporter.

Quel gâchis ! songea-t-il en s'affalant sur le lit.

Il se sentait coupable, il ne savait pourquoi. Il ferma les yeux, il avait besoin d'oublier. Ce fut pire. De nouveau, l'angoisse revenait à la charge. Sa gorge se serra, la détresse l'envahit avant de se résorber peu à peu en une vague mélancolie qui le fit s'apitoyer non pas tant sur lui-même que sur le destin de toute existence.

Les hurlements prolongés des jumeaux Levasseur le ramenèrent violemment à la surface, il se demanda où il était. Deux yeux dorés l'observaient attentivement, il sentit un poids chaud sur sa jambe. Après tout il n'était pas seul, Lemuel veillait sur lui. Il alluma la radio et ouvrit son livre, pressé de s'évader dans *L'Univers en folie* de Fredric Brown.

La fille au baladeur ne pouvait se résoudre à rentrer chez elle. Dans cette brasserie violemment éclairée, parmi les allées et venues, les rires, les tintements de verres, elle était en sécurité. Quand elle se sentait seule, vraiment seule, c'était le lieu idéal pour trouver un peu de chaleur humaine. Elle commandait une boisson, un sandwich, observait les consommateurs. Une conversation de café n'engage à rien, on ne reverra jamais son interlocuteur. La fille au baladeur usait d'une méthode éprouvée. Elle engageait le dialogue par une phrase anodine : « Vous avez du feu ? », comme si elle frappait à une porte : lui ouvrait-on, elle entrait, sinon elle n'insistait pas. Elle rencontrait toutes sortes de gens, des personnes âgées peu pressées de retrouver leurs quatre murs, des hommes solitaires en quête d'aventures, des fanas de flipper, des poivrots, patchwork d'humanité accoudée à des zincs, assise sur des banquettes, tuant les prémices de la nuit avant de se perdre en elle. Jamais la fille au baladeur n'outrepassait les limites qu'elle s'était fixées : parler, plaisanter, faire un petit bout de chemin autour d'un verre, pas davantage.

Elle sortit à regret, abandonnant les lumières, le brouhaha, la vie. Elle longea le boulevard, désert à cette heure avancée. Les lampadaires se reflétaient sur les trottoirs vernis de pluie.

Devant l'hôtel particulier de Cagliostro, à l'angle de la rue Saint-Claude, elle ralentit l'allure et sacrifia au rituel : « Salut, Balsamo ! murmura-t-elle en levant les yeux vers les fenêtres sombres, veille sur moi, j'en ai besoin. »

Elle traversa, passa sous la botte rouge qui servait d'enseigne au cordonnier et composa le code. Avec un bruit sourd la porte cochère se referma sur elle.

La fille au baladeur pénétra dans le salon en évitant de regarder la toile orientaliste aux couleurs criardes : une odalisque à demi nue se prélassant sur un sofa tandis que quatre négrillons présentaient des plateaux couverts de fruits et de pâtisseries. Le malaise ressenti dans cet appartement trop chargé lui donnait parfois la nausée. Des peaux de zèbre jetées sur les planchers, des têtes d'antilopes et de buffles surmontant les cheminées, des guépards de faïence coiffés de bougeoirs électriques, des perroquets empaillés peuplaient les quatre pièces encombrées d'une jungle équatoriale. Négligeant l'ottomane en cuir de zébu abritée sous deux palmiers nains, la fille au baladeur parcourut ce bazar surréaliste au pas de charge pour se réfugier dans la seule pièce à son goût, la chambre de bonne près de l'entrée de service. Lorsque ses amis lui avaient prêté leur « home » jusqu'à la fin novembre, elle s'était extasiée : « C'est si beau ! Tellement original ! », tout en pensant : à condition de ne pas devoir y vivre.

Elle suspendit son manteau et son bonnet à une patère fixée derrière la porte, alluma une cigarette et jeta un coup d'œil sur son domaine : un lit, une table, une commode, un vasistas ouvrant sur les toits. Elle poussa un soupir de soulagement et alla jusqu'à la salle de bains au bout du couloir.

« Tout est en place, il va bientôt trouver mon petit message », murmura-t-elle en ouvrant les robinets de la baignoire. S'approchant du miroir, elle étala de la crème sur sa figure et se démaquilla soigneusement. Il faut absolument que je me fasse une teinture, songea-t-elle en dénouant ses cheveux. Elle se pencha, plongea son regard dans celui du reflet qui la contemplait, et se vit soudain avec les yeux de Marijo : un visage lisse, neutre, sans signes particuliers. Elle pouvait rester très longtemps face à cette inconnue. Elle ouvrait la bouche, entendait des sons sourdre de sa gorge et se persuadait que cette voix lui appartenait. Sans fin elle répétait « Marijo, Marijo, Marijo, Marijo, Marijo », jusqu'à ce que ce prénom ne soit plus un prénom mais un assemblage de syllabes sans signification. Marijo était un élément de son existence qui devenait parfois un véritable fardeau. La nuit précédente, elle l'avait encore entraînée au milieu de cette désolation ocre semée de pierres blanches sous un ciel bleu laiteux, et elle s'était réveillée le souffle court, la langue collée au palais.

Elle s'allongea dans la baignoire. Elle devait inter-dire à son esprit de battre la campagne. Combien de fois avait-elle voulu renoncer ? Il eût été plus facile de pardonner, mais elle en était incapable. Une fois pour toutes elle avait décidé de les haïr, de leur rendre le mal pour le mal, elle se l'était juré, elle tiendrait parole. Il lui tardait de passer à l'étape suivante.

Elle enfila un peignoir et longea le couloir pour regagner sa chambre. Elle avait hâte de contempler son trésor, en sentir l'odeur, le palper, le caresser.

Elle tira la valise de dessous le lit, une Samsonite fermée à clé. Elle y prit un paquet rectangulaire enveloppé de papier kraft et resta un long moment à le serrer rêveusement contre sa poitrine, puis elle défit l'emballage avec précaution. À l'intérieur se trouvait un grand in-octavo doré sur tranche. Elle l'ouvrit à une page marquée par un signet, relut la phrase fétiche de Marijo :

« J'ai rompu avec la société tout entière pour des raisons que moi seule ai le droit d'apprécier. Je n'obéis donc point à ses règles... »

Ces mots semblaient avoir été écrits pour elle... Ou bien les avait-elle inventés dans une dimension parallèle, alors qu'elle errait sur une terre désolée semée de pierres blanches sous un ciel bleu pâle ?

7

21 octobre

Milo avait déjà retourné une bonne partie de l'appartement et s'apprêtait à entreprendre des fouilles intensives dans la cuisine quand il renonça. Découragé, il contempla le tableau : une pile d'assiettes sales dans l'évier, une marmite à moitié calcinée sur la paillasse, du linge entassé entre le frigo et la cuisinière, deux cartons de livres à réparer coincés sous la table pliante jonchée de miettes et d'épluchures. « Ce qu'il te faut, Milo, c'est une femme de ménage », marmonna-t-il. Cette petite phrase évoqua l'image de Nelly et un goût amer, sans rapport avec le café trop serré qu'il venait d'avaler, envahit sa bouche. Il haussa les épaules. À quoi bon chercher ces foutues chaussures noires, il ne les retrouverait pas. L'esprit malin qui, malgré l'étroitesse des lieux, s'amusait à y cacher ses affaires comme autant d'aiguilles dans une maudite meule de foin les avait escamotées. À tout hasard, il ouvrit le frigo. Il ne contenait que deux canettes de bière, contribution de Selim à la communauté, et un demi-concombre.

Attiré par le grincement de la porte et mis en appétit par sa promenade, Lemuel fit son apparition.

— N'oublie pas que c'est avec ses crocs que le chien creuse sa tombe, le sermonna Milo. Et dis-moi plutôt où sont ces godasses.

Le regard suppliant de Lemuel finit par lui valoir quelques croquettes. Une paire de chaussures marron plutôt avachie fut exhumée de l'armoire et enfilée sans enthousiasme par deux pieds très déçus. Milo jeta un dernier regard sur son domaine en se promettant d'y mettre un peu d'ordre le soir même. Car, bien sûr, inutile de compter sur Selim, le chantre du métropolitain, ou sur Lemuel, déjà couché dans le duvet de Corinne Levasseur.

Milo changea à Châtelet. Au carrefour des couloirs s'était formé un attroupement autour de trois violonistes, dont les archets donnaient naissance à l'*Adagio* d'Albinoni. Un son brutal évoquant celui d'une hache sur un billot fit se tourner les têtes. Un homme poussait un diable lourdement chargé dans un escalier. Marche après marche, la hache tombait sur la musique et sur l'émotion du public.

Qu'ils me brisent mes jouets, j'en inventerai d'autres, pensa Milo.

Une charmante jeune femme lui avait dit cela à une époque où il échafaudait encore des projets d'avenir. « Marijo », murmura-t-il. Une fille fantasque, sensible, sans artifices. Elle s'était volatilisée du jour au lendemain. Depuis, aucune nouvelle, pas la moindre trace. Qu'avait-elle fait de sa vie ? Parfois, il épluchait *L'Officiel des spectacles* avec l'espoir de découvrir son nom à l'affiche d'une pièce. Peut-être avait-elle adopté un pseudonyme ? Peut-être avait-elle renoncé au théâtre ? Était-elle mariée ? Mère de famille ? Cette pensée le fit sourire. Elle mettait tant d'ardeur à apprendre ses textes, elle désirait tant réussir. Elle travaillait trois après-midi par semaine chez un marchand de livres anciens, cela lui permettait de payer sa chambre. Elle bouclait son maigre budget en faisant du baby-sitting. Un soir, il était allé la chercher rue d'Alésia, à la librairie, c'est ainsi qu'il avait rencontré Roland. Dix ans déjà. Le temps est une drôle d'affaire, il transforme les gens, mais aussi l'idée qu'on se forge des événements passés. Quel âge aurait Marijo aujourd'hui ? Trente-cinq, trente-six ans ? Autrefois il l'avait fuie, il serait heureux de la revoir à présent. Leur liaison n'avait duré que quelques mois et avait imprimé en lui une forte émotion érotique. Marijo l'avait ensorcelé comme tous les hommes qui lui plaisaient et à qui elle savait donner du plaisir.

Au-dessus du quai désert, le ciel ressemblait à une aquarelle, tout en teintes pastel. Stella Kronenbourg balayait mollement les feuilles mortes accumulées sous ses boîtes. Milo faillit avaler son chewing-gum. En cet après-midi d'été indien, elle avait jugé bon d'étrenner une tenue à la Buffalo Bill : tunique et jupette de fine peau de daim frangée aux manches, à la taille, aux genoux, chapeau de cow-boy, bottes rouges à bascule. Ne manquaient que le canasson et la Winchester 1866.

— Salut, Milo ! Ça sent mauvais, hein, ce qui sort du derrière des autos !

— Tu ouvres de bonne heure, constata-t-il.

— Oh moi, aujourd'hui, me v'là comme trotti- nette, j'suis l'oiseau sur la branche !

Elle se mit à chanter à tue-tête :

— Quand monsieur le temps/Un beau jour de printemps/Fait d'une simple enfant/Presqu'une femme[1]...

Milo en resta médusé. Il se rappela l'arrivée intempestive de Selim, la veille, en plein drame, son départ précipité, et se douta qu'il n'avait pas passé la nuit à la belle étoile. Par un enchaînement de pensées biscornu, cela le ramena à sa propre adolescence et à son premier amour, une brune aux seins agressifs nommée Nathalie. Quand, assis près d'elle sur son lit étroit, il avait ébauché un geste pour l'enlacer, la porte de sa chambre s'était ouverte et, un paquet sanguinolent à la main, sa mère lui avait fourré un rosbif sous le nez en s'écriant :

— Ton oncle prétend qu'elle sent, ma viande !

Points et contrepoints, envolées et douches froides, il était habitué et s'efforçait toujours de recoller les morceaux. N'avait-il pas fini par les caresser, les seins de Nathalie ?

Stella chantait toujours en alignant ses tours Eiffel :

— *Dans le songe bleu d'un avenir joyeux...*

Avec un hochement de tête, Milo se plongea dans *L'Univers en folie*. Il n'avait pas rejoint Keith Winton depuis trois minutes qu'un hurlement lui fit réintégrer la troisième dimension à la vitesse grand V.

— Tête de mort, viens ici si t'es pas un lâche ! Milo-o-o !

Dressée au milieu du trottoir, les poings sur les hanches, Stella invectivait l'horizon.

---

1. *Premier rendez-vous*, paroles de Louis Poterat, musique de René Sylviano, interprétée par Danielle Darrieux dans le film éponyme d'Henri Decoin (1941).

— Qu'est-ce qui se passe ? soupira Milo.

— Cette grande courge, là-bas, tu vois ? Tu sais ce qu'il m'a dit ? « Donne-moi ton cul » ! Tu te rends compte un peu, le salaud !

Milo jaugea en silence l'arrière-train convoité mis en valeur par la minijupe et s'abstint de tout commentaire.

— Tu veux aller boire quelque chose ? proposa-t-il.

— C'est pas de refus, Milo, t'es un chic type.

Elle secoua le poing vers le Pont-Neuf.

— Cet enfoiré, il avait plus l'air d'un con que d'un moulin à vent !

Milo glissa latéralement sur son pliant pour se placer entre les deux étalages. Il était accablé par un de ces moments de déprime absolue où son existence semblait se résumer à un brillant ratage. Côté amours : néant. Côté amis : des morts, des fauchés, des paumés. Côté famille : un chien. Côté travail : un boulot en voie de perdition où, quand il ne remuait pas des tonnes de rossignols à la recherche d'un merle blanc, il passait son temps à espérer qu'un bibliophile intrépide s'aventure jusqu'à ses boîtes. Et ce, auprès d'une harengère qui n'avait sans doute jamais ouvert un bouquin de sa vie ! En prime, il devait subir les harcèlements littéraires d'une souris en bonnet-chat ! Elle en savait long sur lui, elle connaissait son adresse, était au courant de ses relations avec Roland, pouvait même prévoir ses réactions. L'avait-il déjà rencontrée ?

À chacun de ses passages elle avait fait en sorte qu'il ne puisse l'identifier. Chaque fois elle s'était servie de tierces personnes pour lui adresser ses rébus. Stella, au quai, samedi dernier, puis, quatre jours plus tard, Blaise Le Branchu à son domicile.

Fallait-il vraiment prendre cette histoire au sérieux ?

Immobile sur son pliant, il se concentrait sur la confusion régnant dans son esprit. Laisser tomber ! Fuir ! S'offrir une escapade, s'expatrier au fin fond d'une cambrousse sans bagnoles, sans touristes, sans femmes, sans rouquine psychopathe !

Il fixa des yeux la couverture de son livre. Une planète lointaine serait idéale pour se laver de ses idées noires, à condition, bien entendu, qu'elle ne soit pas frappée de folie à l'instar de celle où il avait pris bail depuis trente-huit ans…

— Sandwich ?

Milo décocha un sourire à l'extraterrestre.

— Bifteck, dit-il en lui donnant dix francs.

Albert souleva son chapeau et reprit sa tournée en poussant un Caddie où s'entassaient toutes ses possessions.

Milo soupira. Cette bonne femme au bonnet de laine ne pouvait être qu'une névrosée.

Il aurait volontiers grillé une cigarette, mais son paquet était vide. Il jeta un morne coup d'œil sur les huit mètres de sa voisine. Une touriste d'arrière-saison fourgonnait dans la ferblanterie. « Ils bossent comme des cons pour acheter des conneries, grogna la petite voix en lui, ils sont cons et ils ne le savent même pas, oui mais s'ils savaient qu'ils sont cons, ils ne seraient pas cons et toi tu ne serais pas là comme un con à surveiller cette quincaillerie… » Il corna la page de son livre, attendant que la femme se décide.

— Il est pollué ? demanda-t-elle sans se retourner, tout en agitant une boîte format sardines contenant de « l'air de Paris ».

Milo se leva, l'exaspération lui nouait la gorge.

— Nuit gravement à la santé, grommela-t-il. (La femme se retourna. Il la reconnut, balbutia :) Laura ?

— Oui. J'aime me balader le long de la Seine, dit Laura d'un ton dégagé. Je crains de m'être trompée d'adresse, ce n'est pas chez vous, n'est-ce pas ?

Il avait chaud, son cœur faisait un raffut de tous les diables. D'un geste maladroit, il lui désigna son étalage. Elle s'en approcha, prit une édition ancienne de *Paul et Virginie,* la reposa, souleva quelques reliés. Il se tenait les bras ballants à moins d'un mètre d'elle. Elle nota le bouton manquant à sa canadienne, le jean usé tire-bouchonnant sur ses chaussures fatiguées, son expression ébahie qui lui donnait l'air d'un gosse.

— Vous avez de très beaux livres, murmura-t-elle.

— Vous trouvez ?

Quelle platitude ! Décidément, il était au-dessous de tout. Il aurait voulu lui proposer d'aller prendre un verre, mais il ne pouvait se montrer aussi banal.

Elle leva vers lui un regard attentif. « Alors, semblait-elle dire, tu te lances ? » Il se passa les doigts dans les cheveux. Elle le dévisageait avec tant d'insistance qu'il sentait des picotements courir sur sa peau. S'il prononçait le bon sésame, elle céderait peut-être ? Sûrement.

— Vous savez, je suis content que vous soyez venue, j'avais une très grande envie de vous revoir.

Bravo, mon vieux, c'est d'une folle originalité. Irrésistible.

Pourtant, ces paroles avaient dû faire leur petit effet, à en juger par le sourire de Laura. Détournant enfin les yeux, il vit Annie du Far West passer en ondulant des hanches.

— Hé, Milo ! cria Stella, si tu veux aller boire un coup, profites-en maintenant, Selim et moi on va au cinoche, je ferme tôt.

Attablés face à face dans l'arrière-salle du tabac, ils restaient silencieux. Milo tambourinait nerveusement sur sa boîte d'allumettes.

— Dites-moi, Laura, la photographie est un mystère pour moi, je n'ai jamais compris comment on arrive à se servir d'un appareil, tous ces réglages…

Voilà, se dit-elle, il a fourni un gros effort, il te tend la perche, à toi.

Elle but une gorgée de rosé avant de répondre.

— C'est très simple : on cadre, on appuie sur un bouton, clic-clac, merci Kodak.

— Non, non, je pense aux photos d'art.

— Oh, ça, c'est un curieux mélange de technique maîtrisée, d'intuition, de sensibilité, de patience, de chance et de talent. Tout se conjugue… Vous permettez ?

Elle lui prit des mains le paquet de cigarettes, en tira une, se pencha pour qu'il l'allume et la fuma comme les gens qui n'ont pas l'habitude. Milo remarqua qu'elle tremblait un peu.

— Vous êtes vraiment passée par hasard ?

— Non. J'ai été irrésistiblement attirée par le pouvoir de votre pensée.

Il fronça les sourcils, brusquement passionné par l'auréole de son verre sur la table. Se moquerait-elle de lui ? En tout cas, l'audace de la repartie lui plaisait. Il hésita, craignant de commettre une gaffe.

— Êtes-vous libre pour un dîner ?

— Et vous, l'êtes-vous ? Je veux dire…

— Non, je vis avec mon chien.

— On peut se sentir seul, même avec un chien.

— Comment avez-vous deviné ? Je sais : vous avez un chien, vous aussi.

Elle secoua la tête en riant.

— Pas même un poisson rouge !

— Mais pourquoi fait-on un tel drame de la solitude au cœur des grandes cités ? Quoi de plus beau, finalement, que de ne rien savoir de ses voisins, de travailler dans la plus totale intimité et d'être orphelin par-dessus le marché ? Dire qu'il y en a qui se suicident pour moins que ça ! Quel manque d'humour !

— Vous parlez comme un livre.

— Je suis un livre, déformation professionnelle, mais chut, ne le répétez pas ! Toute plaisanterie mise à part, je connais un bon restaurant derrière la gare de Lyon, à deux pas de chez moi. Bien sûr, nous pourrions aller à *La Tour d'argent*, mais je préfère *La Tour des souhaits*, à cause de Lemuel.

Était-ce le vin ? Il se sentait léger, spirituel comme un personnage de Capra. Et il savait qu'elle était sous le charme.

— Le quoi ?

— Lemuel, mon clébard. Il m'attend pour sa petite balade hygiénique.

— Quel drôle de nom !

— C'est celui de Gulliver. Vous avez lu Swift ?

— Non, mais j'ai vu un film quand j'étais petite. *Lilliput, les Grands Boutiens, les Petits Boutiens*... Donc, Lemuel.

— Ce chien est épris d'exactitude. Si j'ai le malheur de dépasser l'heure, il me fait une scène.

Il lui toucha le bras. Elle frémit légèrement.

— Laura, dînons ensemble ce soir. S'il vous plaît, dites oui.

Elle contempla le mouchoir en papier qu'elle froissait depuis quelques instants entre ses doigts. Tout chavirait, il y avait si longtemps qu'elle n'avait pas passé une soirée en tête à tête avec un homme.

Il retira sa main.

— Bon, ça va, j'ai compris, marmonna-t-il, laissez votre adresse, on vous écrira.

Elle rit, soulagée. Il était si imprévisible qu'elle douta d'être à la hauteur.

— D'accord, on dîne ensemble.

— Canard laqué ou porc sucré ?

— Je ne sais pas me servir de baguettes.

— Nous mangerons avec les doigts.

— Déjà ? s'exclama Stella quand elle le vit baisser ses couvercles. (Elle avisa Laura assise sur le banc.) Ça alors, Milo ! Moi qui pensais que t'avais le cœur en papier, mais t'es comme moi : *Je ne peux pas vivre sans amour...*

Ils descendirent sur la berge. Ni les crottes de chien ni les effluves d'urine sous les ponts ne troublaient ce moment de grâce. Ils longeaient la Seine, sans hâte, dégagés de tout souci. Quai de la Tournelle ils s'arrêtèrent à la hauteur de Notre-Dame.

— Je viens souvent m'asseoir ici, dit-il. L'hiver, l'eau monte parfois au niveau des pavés et chaque bateau qui passe déclenche un petit raz-de-marée.

— J'ai l'impression de voir pour la première fois.

— Oh, regardez, des canards !

Le restaurant était vide. Ils s'installèrent dans une petite alcôve lambrissée décorée de dragons. Les lanternes de papier, le slow asiatique diffusé par des baffles invisibles ajoutaient une touche exotique au décor. Elle lui parla de son travail, de ses lectures.

Il n'entendait pas ses paroles, seulement la musique de sa voix. Elle le laissa composer le menu. Le garçon déposa deux apéritifs où flottait un litchi.

Milo leva son verre.

— À la vie !

Il se sentait bien, plein d'élan pour entreprendre il ne savait quoi. Il eut soudain la nostalgie du présent, toujours en fuite. *Minute après minute, je m'en vais*, qui avait dit ça ?...

— Milo, c'est un prénom peu courant...

Il redescendit sur terre, une main enfouie dans les cheveux.

— Mon père occupait un poste à l'ambassade d'Ankara. Un soir, il ramassa le mouchoir qu'avait laissé tomber une comtesse russe beaucoup plus jeune que lui – elle n'avait que seize ans et elle était d'une beauté éblouissante. Il l'enleva. Ils se réfugièrent sur une petite île grecque des Cyclades, Milo, où je fus conçu. Côté physique, je tiens plutôt de mon père.

— C'est vrai ?

Il la regardait avec une expression à la fois tendre et amusée.

— Déjà tout petit, j'adorais inventer des histoires, et je finissais par y croire. Vous ne pensez pas qu'à partir du moment où on est persuadé qu'une chose existe, elle devient réelle ?

Elle eut une moue dubitative.

— Bon, bon, reprenons pied sur le sol rocailleux des certitudes : je suis né à Paris, d'un père italien et d'une mère cherbourgeoise.

Le garçon disposa les plats sur la table.

— Parlez-moi de vous, Laura.

— Oh, moi... J'ai vingt-trois ans. J'ai passé mon enfance entre la cour de mon immeuble, celle de l'école de la rue Keller et des sèche-cheveux. Je n'ai pas connu mon père. Ma mère tenait un salon de coiffure, elle est morte quand j'avais quinze ans. Je suis allée vivre chez des cousins. À ma majorité, j'ai hérité de ce qu'avait rapporté la vente du salon, ça m'a permis de prendre cette gérance rue des Patriarches, mais je ne ferai pas ce boulot très longtemps, enfin j'espère. Ce qui m'intéresse surtout, c'est le reportage.

Fasciné par les mains de Laura qui maniaient maladroitement les baguettes, Milo tentait d'imaginer la jeune femme à seize ans. Elle n'avait pas dû beaucoup changer. Tandis que toi, mon vieux…

— J'aime que vous vendiez des livres, affirma-t-elle.

— L'avantage, c'est que côté lecture je ne suis jamais en manque… (Il était détendu, heureux de prendre une soudaine importance aux yeux de quelqu'un.) Je me dis souvent que je suis un imbécile, que je devrais peut-être débiter des souvenirs de Paris, surtout les jours où les recettes et le moral fléchissent.

— Troquer Victor Hugo contre des tours Eiffel ?

Les baguettes en suspens, il ne pouvait détacher les yeux de son visage, incapable d'accepter ce qu'elle venait de dire. Traversé par une douleur aiguë, il revécut brusquement la succession des événements qui l'avaient mené jusqu'à elle. Avait-on délibérément provoqué leur rencontre ? Pourquoi était-elle venue le retrouver si vite après l'avoir envoyé aux pelotes ? Connaissait-elle Amélie Nogaret ?

— Pourquoi Victor Hugo ? demanda-t-il d'une voix rauque.

— J'ai remarqué une jolie édition de poésies dans vos boîtes, je me suis souvenue d'une distribution de prix à l'école. J'étais seule sur l'estrade, morte de peur. Je devais réciter... Attendez... « Elle était pâle, et pourtant rose/Petite avec de grands cheveux/Elle disait souvent : je n'ose,/Et... » Je ne sais plus.

Elle lui sourit. C'était la première fois qu'elle se laissait aller de la sorte.

Il se sentait nerveux, dégoûté d'avoir eu des soupçons.

— Milo, ça ne va pas ?

— Je photographie cette soirée, murmura-t-il, je ne veux pas l'oublier.

Il pleuvait des trombes. Main dans la main, ils dévalèrent les marches du métro. Ils étaient trempés, ils s'en moquaient, riaient, tout à la joie d'être ensemble. Ils entrevoyaient au loin la sortie du tunnel sans oser s'interroger sur ce qui allait se passer.

Ils émergèrent à Censier. Le ciel déversait une pluie de cinéma. Il la prit dans ses bras, ses lèvres étaient douces et chaudes. Il s'écarta légèrement, posa une main sur ses cheveux.

— Soyez prudent, Milo, je risque de m'attacher.

— Trop tard, chuchota-t-il, je n'ai plus de défense.

Il attendit qu'elle ouvre la porte de son immeuble pour dire à voix basse :

— Je viendrai demain, après le quai, vers dix-neuf heures.

Il s'éloigna sans attendre sa réponse.

8

22 octobre

Tiré du sommeil par le camion de la voirie, Milo émergea d'un rêve qui l'avait empli de bonheur. S'éveiller et se sentir heureux ! Depuis combien de temps cela ne lui était-il pas arrivé ?

Il battit des paupières. Dans la chambre sillonnée d'ombre flottaient des écueils d'armoire, de chaises et de bureau. Il se redressa en mesurant ses gestes. Une voix. Il entendait une voix venant de la pièce voisine.

— Alors, Azor, on t'a laissé tomber ? Attends, Selim va te donner de quoi te remplir la boîte à ragoût.

Une lucidité morose l'étreignit, le regret d'être arraché à son état d'apesanteur lui tendit les nerfs jusqu'à ce qu'il se lève d'un bond et tire brutalement la porte.

— Je peux nourrir mon chien moi-même !

Selim reposa le paquet de croquettes.

— Je pensais qu'il avait la dalle, marmotta-t-il.

— Penser, toi ? Tu plaisantes ! Tu envahis mon espace, tu te pointes quand ça te chante, ou plutôt quand tu ne chantes pas ! La prochaine fois, tu frappes, toc toc, pigé ?

— Écoute, Milo, tu veux des excuses, eh bien, je suis prêt à t'en faire. Voilà, je m'excuse pour l'autre soir et je te remercie de m'avoir hébergé, tu vas être tranquille, je m'en vais.

Milo renversa la vapeur.

— Fais pas le con, tu peux rester, seulement quand tu découches, préviens-moi, c'est la moindre des choses.

— Tu t'es inquiété ?

— Pas vraiment. Il était bon, le film ?

— Quel film ?

— Laisse tomber. Tu as trouvé une piaule ?

— Oui. Elle est gentille, Henriette, elle m'aime bien, et moi aussi je l'aime bien, c'est le genre *Nous deux*, tu sais : *Mon cœur est un violon sur lequel ton archet joue*[1], ça me plaît, je suis très sentimental, moi.

Milo le dévisageait avec ahurissement.

— Tu parles de Stel… Henriette, ma voisine ?

— Gagné. À toi, Milo, ma reconnaissance éternelle, tu es l'instrument de ma félicité, parce que au lit, Henriette…

— Stop ! Bon, ça va, ça va. Tu pars, tu es sûr ?

— Oui, je passerai prendre ma valise demain ou après-demain, je te rendrai tes clés sur le quai. Je file, Diego m'attend. Ah, il y a une lettre pour toi, je l'ai trouvée dans une chaussure sous le canapé. Salut !

En entrant dans la cuisine, Milo vit l'enveloppe bleue debout contre la cafetière. Elle portait son

1. Paroles de Jean Richepin, la musique est de Miarka Laparcerie, créée en 1945 par Lucienne Boyer.

nom, MILO J., composé de lettres de corps inégaux découpées dans un journal. Il la regarda longtemps avec un certain malaise comme s'il s'agissait d'une bestiole répugnante. Finalement il avança une main, la saisit du bout des doigts et la jeta sur la table de la pièce fourre-tout. Il était résolu à ne pas l'ouvrir.

Il concentra son attention sur des sujets d'ordre pratique : il faudrait ranger l'appartement, promener l'aspirateur, changer les draps, remplir le frigo. Tôt ou tard, Laura monterait chez lui.

L'enveloppe resta toute la matinée à la même place. Il passa devant une vingtaine de fois, faisant mine de l'ignorer. Il briqua la cuisine, les W-C, la salle de bains, tria ses vêtements. Vers dix heures il descendit à la laverie automatique où il rencontra Corinne Levasseur, qui lui donna d'intéressants renseignements sur la dentition de Lancelot et Perceval. Elle avait trouvé un sirop miracle pour soulager leurs douleurs. Tandis que son linge tournait, Milo emmena Lemuel répertorier les réverbères du quartier, puis passa au supermarché emplir un caddie de légumes frais, de viande, de laitages et d'un stock de conserves. Une pluie fine zébrait les trottoirs, il en profita pour prendre son temps, choisissant chaque denrée avec soin. À la pharmacie, il acheta de la crème à raser, des savons et deux boîtes de préservatifs. Il redevenait un homme normal.

De retour chez lui, Milo déboucha une bouteille de cognac et en avala une lampée au goulot, le regard braqué sur l'enveloppe. Plus il la fixait, plus son malaise s'amplifiait. Après s'être servi un verre, il s'assit devant la table, sirotant son remontant à petites gorgées. Il se sentit bientôt jouir d'une remarquable lucidité doublée d'une compréhension pénétrante des aléas de la vie qui l'avaient conduit en ce lieu précis, tassé sur une chaise, fasciné par une lettre anonyme. Et cela lui parut du plus haut comique.

Il se décida, déchira le rabat de l'enveloppe. Il crut d'abord qu'elle était vide. Il la retourna en écartant les bords, une coupure de presse voleta mollement avant de se poser sur la moquette. Il la ramassa. Dès la lecture des premières lignes, le sang lui monta à la tête.

UNE SEPTUAGÉNAIRE ASSASSINÉE
À SON DOMICILE

Une femme de soixante-quatorze ans, Mme veuve Émilienne Bagot, a été retrouvée poignardée mardi soir dans son logement de la rue d'Hautpoul, 19e arrondissement. Ses voisins, excédés d'entendre les hurlements de son chien, ont alerté la police qui n'a pu que constater le décès. Une enquête est ouverte.

Milo laissa échapper la manchette. Mardi ! Le jour où il se trouvait rue d'Hautpoul ! Cette femme, Charline Crosse, l'avait vu ! Elle connaissait son nom, son numéro de téléphone… Il compta sur ses doigts.

Mardi, mercredi, jeudi, vendredi… Quatre jours depuis le meurtre. Logiquement, les flics auraient dû m'interpeller. Charline Crosse a-t-elle avalé sa langue ? Et puis il y a ce type que j'ai croisé dans le hall de l'immeuble en partant… Ont-ils tous deux été frappés d'amnésie, ou bien la police n'est-elle pas pressée de me boucler ?

Ils allaient venir, ils le jetteraient en tôle, l'accuseraient d'un crime qu'il n'avait pas commis. Les journaux étaient pleins d'erreurs judiciaires… Il s'efforça de ralentir sa respiration saccadée. Ne sois pas idiot, ça ne peut pas t'arriver à toi, c'est bon pour les personnages de Kafka, tu es protégé, n'oublie pas ce que ta mère t'a dit avant de mourir, je serai toujours là près de toi, j'empêcherai les autres de te faire du mal. Ouais, je ne sais pas si tu es de taille, maman, et j'espère que tu tournes la tête quand je vais aux cabinets...

Il se força à rire, préférant ne pas s'attarder sur les soupçons que les flics pourraient avoir à son sujet étant donné ses liens d'amitié avec Roland... Roland, Bagot, et toujours Milo.

Il repoussa sa chaise. Planté devant la fenêtre, il suivit le cheminement des gouttes de pluie le long de la vitre jusqu'à redevenir assez maître de lui pour réfléchir posément. La femme au bonnet avait dû glisser cette coupure sous sa porte mercredi ou jeudi pendant son absence. Il fut presque flatté d'inspirer tant d'intérêt à une inconnue, lui qui se croyait insipide, transparent à force de banalité. Mais par quel tour de passe-passe l'enveloppe s'était-elle nichée dans une chaussure si éloignée de l'entrée ?

Il se laissa choir sur le canapé. Le parfum de Nelly imprégnait encore les coussins. Il inspira profondément et ressentit le trouble de qui s'est rendu coupable d'une impardonnable faiblesse. Allongeant le bras pour attraper une cigarette, il la porta à ses lèvres et eut un coup au cœur.

Il s'accroupit brusquement, tâtonna sous le canapé et en ramena une paire de chaussures, ses mocassins noirs introuvables, ceux qu'il avait ôtés avant de faire l'amour avec Nelly.

Il passa une main tremblante dans ses cheveux et se mit à faire les cent pas à travers la chambre. Ses pensées tournoyaient dans son crâne plus vite que Charlot dans une porte à tambour. Tantôt il se persuadait qu'il avait tort, tantôt ses arguments s'effondraient devant l'évidence, mais, malgré tous ses efforts, il en revenait toujours à cette soirée de mercredi avec Nelly : Nelly qui se blottissait contre lui, Nelly qui le touchait, l'embrassait, le caressait. Nelly détendue, heureuse, Nelly *qui faisait semblant.* Retenu par une prudence nuancée d'incrédulité, il n'osait affronter la vérité : l'enveloppe ne se trouvait pas sous le canapé avant la venue de Nelly.

Imbécile ! Sa visite inopinée ne devait rien à un regain d'intérêt pour toi ! Elle avait utilisé le sexe et tu es tombé dans le panneau. Après trois années de silence, tu aurais pu te montrer plus circonspect.

Il frappa du poing sur le mur. La femme au bonnet de laine ne pouvait être que Nelly. Qui mieux qu'elle connaissait ses goûts littéraires, son admiration pour l'œuvre de Hugo, son amour du non-sens, son attirance pour l'absurde ? Il se remémora les rages qu'elle piquait quand, pour échapper aux situations désagréables, il récitait des aphorismes de Jean Tardieu ou de Pierre Dac. Oui, cette mise en scène portait la signature de Nelly et il en était le personnage clé. Mais pourquoi ?

Il reprit ses allées et venues ; Nelly le manipulait comme un pantin, elle avait pris le contrôle de sa vie, il était coincé. Un frisson le secoua. Que se passait-il dans sa tête pour qu'elle utilise des moyens aussi retors ? Était-elle menacée ? Voulait-elle à tout prix échapper à un scandale ? Connaissait-elle la rouquine ? Y avait-il un lien entre la mort de Roland et celle de Bagot ?

La sonnerie du téléphone retentissait pour la cinquième fois quand il se décida à approcher le combiné de son oreille.

— Allô ? fit-il.

Silence.

— Allô ?

Il percevait une musique brouillée dans le lointain.

— Allô ? Allô ? répéta-t-il.

Il s'apprêtait à raccrocher lorsqu'une voix féminine lui parvint, distante, étouffée.

— Milo ?

— Laura ? C'est vous ? Vous êtes toujours libre ce soir ?

La réponse tardait à venir.

— Laura ?

— Oui… oui… je…

Il y eut un déclic, ils avaient été coupés. Il composa immédiatement le numéro de Laura. Personne. Un doute lui traversa l'esprit : comment avait-elle pu le joindre ? Il était sur liste rouge. Je suis sûr de ne pas lui avoir donné mon téléphone, c'est elle qui m'a donné le sien. Il se dit qu'elle avait probablement consulté 36-17 Annu. Ça ne colle pas, les numéros rouges n'y sont pas reportés. Peut-être a-t-elle demandé à un bouquiniste, à Stella ? Oui, ça doit être ça, pensait-il alors que l'autre Milo lui soufflait : « Tu ne la connais pas. Que sais-tu d'elle ? Absolument rien, zéro. L'aurais-tu rencontrée sans l'entremise de Charline Crosse ? »

Il éprouva le besoin impérieux de s'activer. Il piocha dans un des cartons contenant sa réserve de bouquins prêts à être couverts.

L'un après l'autre, les livres devenaient prisonniers de la cellophane. Au regret de s'interdire ainsi des textes essentiels succédait généralement un soulagement : celui de ne pas avoir à les empiler en attente au chevet de son lit.

— *Que lisez-vous, monseigneur ?*

— Des mots, des mots, des mots…

Bien vu, William !

Jusqu'au vertige, Milo se gavait de mots, de pages, espérant toujours accéder au livre ultime après lequel il serait à jamais rassasié. Mieux valait parfois passer la main, et vendre.

Le dialogue entre Polonius et Hamlet continuait à lui trotter par la tête.

— Apercevez-vous, là-bas, ce nuage qui usurpe presque la forme d'un chameau ?… Je crois plutôt qu'il ressemble à une belette… Ou à une baleine ?

Le scotch s'évada, fila vers la moquette. Milo regarda pirouetter le rouleau, une légère vibration grimpa à l'assaut de sa colonne vertébrale. Rien ne prouvait que ce fût Laura au téléphone, après tout n'était-ce pas lui qui avait prononcé ce prénom ? Quelqu'un avait pu vouloir se faire passer pour elle… Qui ? Qui ?

Les ciseaux à la main, Milo semblait captivé par les pointes d'acier. Une lame trouait le ventre d'un libraire, étripait une vieille femme, avant de s'en prendre aux cartonnages précieux des éditions Hetzel. Qui tenait le couteau ? Pourquoi avait-on tué ? Rien n'arrive sans cause : s'il fermait les yeux, s'il s'abandonnait, aurait-il la chance de se voir révéler les mobiles des meurtres ? Il eut beau attendre, aucune réponse ne s'afficha sur son petit écran privé. Ou plutôt si : les traits de Laura commençaient à s'y dessiner. Cela n'avait aucun sens. Ne plus y penser. Plus tard, il y réfléchirait plus tard. Ne jamais faire le jour même ce qu'on peut remettre au lendemain.

« Plus tard, cela risque d'être trop tard, captain, ô captain, il faut saisir l'instant. Tu la vois ce soir, non ? Profite de l'occasion. »

C'est bien mon intention, argumenta Milo contre lui-même. Je serai son amant, son amour, sûrement pas un sale fouineur.

« Un sale fouineur vivant vaut mieux qu'un soupirant occis, remarqua l'autre. Assure-toi de son innocence… »

Boucle-la ! Laura possède ce qui me manque, la spontanéité, la confiance en soi, elle n'est pas obnubilée par la suspicion et l'auto-analyse, alors va te faire foutre !

Le scotch entre les dents, Lemuel s'approcha en remuant la queue et le déposa aux pieds de Milo. Son corps, devenu grassouillet avec l'âge et la boulimie, frémissait, ses babines se retroussaient en une supplique muette. Milo alla décrocher la laisse.

Show her the way, and maybe one day I will free her…

La fille au baladeur se laissait bercer par la nostalgie des paroles. La chanson préférée de Marijo. Pauvre Marijo dont personne ne s'était souciée. De la main gauche elle effleura son portable : idéal pour garder le contact avec ses proches, affirmait la publicité. Avec ça elle se sentait moins seule, c'est tellement rassurant de savoir qu'on peut appeler ses amis à toute heure.

Quelle impression étrange de se retrouver attablée à la terrasse du *Dôme*. Les sons, les odeurs, les saveurs, les couleurs gravés dans son inconscient se mêlaient aux images présentes pour former un décor surréaliste qui éveillait en elle l'écho d'une histoire contée par Marijo il y a très longtemps :

« Tu peux comprendre ce que je ressens, nous sommes si proches l'une de l'autre. Toi, tu t'intéresses à moi. Ça me soulage de t'en parler. »

La fille au baladeur écoutait. Son imagination recréait l'atmosphère, les dialogues, elle devenait à la fois actrice et spectatrice...

Paris, l'hiver, une chambre sous les toits dans le 18e arrondissement. Le soir tombe. Un homme et une femme sont assis côte à côte au bord d'un lit défait. L'homme dit :

— Désolé, Marijo, il vaut mieux en rester là.

Elle demande :

— Il y a quelqu'un d'autre ?

Milo se tourne vers elle, il hésite.

— Non, il n'y a personne. J'ai besoin de prendre du recul, de faire le point. J'ai beaucoup d'affection pour toi, tu sais...

— Mais ?

Elle le regarde attentivement, elle maîtrise son émotion. En elle tout chavire, il ne l'aime pas, il veut s'échapper. Elle s'étonne de lui répondre d'une voix posée :

— Ne te bile pas, pour certaines femmes coucher avec un homme n'est jamais que coucher avec un homme.

La douleur qu'elle ressent ne transparaît pas. Quelque chose se brise en elle.

Elle lit sur son visage un soulagement teinté de déception et, pour refouler son émotion, enchaîne :

— Je n'ai jamais eu l'intention de te faire signer un engagement.

Ses mots coulent naturellement. Surtout ne pas lui laisser voir qu'elle est anéantie. Il se penche vers elle :

— Marijo, je veux rester un véritable ami. Toi aussi j'espère.

116

Elle voit ses yeux emplis d'une sympathie attristée. Comment ose-t-il demander à une femme amoureuse de n'être plus qu'une bonne camarade ?

Elle se lève, fouille dans son sac, lui rend sa clé. Elle meurt intérieurement. Il lui arrive une chose injuste, humiliante, qu'elle refuse d'accepter. Elle enfile son manteau, il l'accompagne jusqu'à la porte, écarte la masse de ses cheveux, dévoile sa joue, y dépose un baiser.

La fille au baladeur dévale avec elle les six étages. Elle connaît par cœur le serment de Marijo :

« Je t'aurai Milo, que tu le veuilles ou non tu reviendras vers moi. »

La fille au baladeur sourit, bientôt elle serait délivrée. La voix de Cat Stevens fredonnait à son oreille :

Oh baby, baby, it's a wild world…

La boutique était vide. Il flottait dans l'air un subtil parfum de chèvrefeuille. Milo remarqua d'abord les escarpins blancs, l'ensemble grège, le collier d'ambre, puis il vit son visage et un élan emporta ses doutes, lui ôta toute conscience, hormis celle des pulsations de son sang. Il n'avait qu'à tendre la main pour la toucher.

— Vous êtes belle, Laura.

— Je n'ai pas pu résister, lança-t-elle avec un rire léger. Je crois que je vais m'en mordre les doigts, ces chaussures sont très casse-gueule et la jupe me serre un peu…

Il la prit par les épaules, l'attira contre lui, la tint serrée, les lèvres dans ses cheveux. Elle se dégagea doucement.

— Où allons-nous ? demanda-t-elle.

— Ne pourrait-on rester et...

Elle secoua la tête en souriant comme s'il avait dit une bêtise et enchaîna :

— Je connais un petit restaurant où l'on sert toutes sortes de salades composées, c'est à deux pas.

Il accepta sa défaite avec élégance.

— C'est alléchant ! « La salade, ça se mange sans faim, moi je me mettrais à quatre pattes dans un pré » : Zola, *L'Assommoir*, le repas de noce.

— Vous n'aviez pas menti : un livre vivant !

Ils mangèrent une salade de thon aux pâtes fraîches et burent une bouteille de rosé dans un troquet encombré, près d'un couple doté d'une bruyante progéniture, mais Milo se moquait du cadre et ne pensait qu'à prendre la main de Laura. Elle se laissa faire.

— Sortons, proposa-t-il.

Ils longèrent les arènes de Lutèce. Il avait passé un bras autour de ses épaules et sentait la chaleur de son corps à travers le vêtement. Elle parlait depuis un bon moment sans qu'il prêtât attention à ses paroles, il lui suffisait de marcher à son côté pour prendre ses distances avec le quotidien.

— Milo, où êtes-vous ?

Il s'arrêta. Les mots avaient du mal à sortir. Comment obtenir d'elle un tête-à-tête plus intime ?

— Laura... J'aimerais beaucoup voir votre travail personnel...

Il s'aperçut aussitôt qu'il venait de dire une sottise. Il tenta de s'en sortir par une pirouette.

— Vous savez, je suis très intrigué par les opticiens qui ont mal tourné.

— Quoi ?

— C'est comme ça qu'on surnommait les photographes au siècle dernier. Vous appartenez à cette étrange confrérie, de même que Capa, Cartier-Bresson...

— Je n'oserais pas me ranger parmi eux, je ne suis qu'une débutante.

— Comment vous est venu ce besoin de fixer l'instant ? lui demanda-t-il tout en se traitant d'hypocrite.

— Oh, le hasard. Il y avait un club de théâtre au collège. Je m'y suis inscrite, je rêvais de monter sur les planches depuis que j'avais vu Isabelle Adjani à la télé dans *Ondine*. Notre prof adorait nous tirer le portrait en costume, mes copains et moi. J'en ai vite eu assez de jouer les soubrettes, j'ai demandé à mon prof de m'apprendre la prise de vue.

— Et vous êtes tombée amoureuse de lui.

— Sûrement pas ! J'avais quatorze ans, mon prof en avait quarante-sept et était loin de ressembler à un héros viril aux tempes argentées.

— Un type dans mon genre.

— Pourquoi ?

— Parce que j'ai quinze ans de plus que vous.

Elle le bouscula gentiment, ses yeux riaient.

— C'était une femme ! Mon prof était une femme !

— Personne n'est parfait.

— Oui, mais elle, elle avait de la moustache ! Allez, Milo, ne faites pas cette tête, je n'ai plus quatorze ans et ne nous disputons pas le handicap.

Il poussa un soupir de contentement.

— Et vous, Milo, qu'est-ce qui vous a conduit à regarder défiler les passants, calé dans votre pliant ?

— Un ami. Il tenait une librairie, nous étions associés. Il vient de mourir... J'avais surtout envie de rester indépendant, sans patron, sans horaires fixes. Ce boulot me convient, je suis au grand air, même s'il est pollué, je peux lire, je vois couler un fleuve, je rêve à de lointains voyages. Vous avez remarqué, il n'y a qu'une consonne qui sépare livre de libre.

— C'est drôle, quand j'étais petite, je partais en expédition jusqu'au bassin de l'Arsenal, je me racontais des histoires de pirates, d'îles au trésor...

— Ça alors ! Je travaillais rue de la Roquette, chez mon ami libraire, on s'est peut-être croisés des tas de fois ! Vous habitiez le quartier ?

Elle tressaillit. Il sembla à Milo qu'un voile imperceptible embrumait son regard.

— Non, non, aucune chance, je vivais de l'autre côté, en haut du boulevard Richard-Lenoir, vers Oberkampf. Pour moi, la rue de la Roquette était *terra incognita*.

Milo reçut un petit choc, elle venait de réagir comme une actrice qui improvise en hâte après avoir trébuché sur son texte.

— J'avais cru comprendre le bassin de l'Arsenal, dit-il, alors j'ai bâti un roman.

— Oui, c'est bien de ce bassin qu'il s'agissait, j'aimais y aller le samedi, quand ma mère n'avait pas besoin de moi.

Elle s'était exprimée plus posément, les yeux baissés. Il ignorait pourquoi, mais il était troublé par son attitude ambiguë. Cela concernait un mot qu'elle avait prononcé, la veille, il n'arrivait pas à mettre le doigt dessus, un nom de lieu. « Gare à l'Alzheimer », souffla l'autre Milo.

Laura pressait le pas, il dut presque courir pour la rejoindre. Elle s'arrêta soudain et lui fit face.

— Et puis, qu'est-ce que ça peut bien faire, tout ça ? Vous voulez toujours tout savoir. Déjà l'autre jour, vous meniez votre enquête. Eh bien, vous avez perdu votre temps avec moi : je n'ai rien appris au sujet de votre amie !

— Quel ami ? demanda-t-il d'une voix sourde.

— Celle qui s'est volatilisée dans ma boutique, votre amie rousse, vous l'avez déjà oubliée ? Vous aviez pourtant l'air de tenir à elle !

Son ton sarcastique le blessa, il ne s'attendait pas à cela. Il voulut répondre, déjà elle était repartie. Ils marchèrent en silence jusqu'au magasin de photo et s'arrêtèrent brusquement. Immobiles, ils n'osaient se regarder.

— Ma parole, vous êtes jalouse, murmura-t-il.

Elle releva le menton. Son visage était buté, mais pas franchement hostile. Il ne put résister à l'envie de repousser une mèche de cheveux blonds qui lui tombait sur le front.

— Milo, je ne sais pas ce que vous cherchez, ni ce que vous attendez de moi. Mais je préfère vous prévenir tout de suite : je ne veux pas d'une aventure.

Il eut la certitude que tout redevenait clair. Se penchant vers elle, il voulut l'embrasser. Elle se détourna, pas assez vite cependant pour ne pas se retrouver dans ses bras. Il chuchota à son oreille :

— Moi non plus, petite sotte, je ne veux pas d'une aventure, encore que vous faire la cour soit une aventure imprévisible et plutôt épuisante. Si je vous appelle demain, vous ne me raccrocherez pas au nez ?

— Ce n'est pas dans mes habitudes.

— Un baiser pour ces mots merveilleux.

Elle lui tendit sa joue, il y posa sa bouche et finit par atteindre ses lèvres. Ce fut court mais intense et, quand il s'éloigna, elle faillit le retenir par la manche. C'est trop bête, pensa-t-elle.

— Milo, attendez ! Que diriez-vous d'un café ?

Assis sur un tabouret derrière le comptoir, Milo regardait ses mains comme s'il les découvrait, paumes carrées, doigts larges et courts : des mains de travailleur manuel, faites pour toucher, pétrir, caresser ses seins, ses hanches, ses fesses, tu parles, tu n'as droit qu'à la boutique, elle est là-haut, dans son appartement, et toi tu l'attends comme un con, pourquoi ne montes-tu pas ? Il se raisonna. Déjà bien beau qu'elle lui ait couru après, ouvert cette porte, petite victoire sur elle-même. Il la sentait craintive, sous son apparence parfois agressive, il devait avancer doucement, sur du velours, ne rien brusquer. Ce soir, le rez-de-chaussée. Jour après jour, marche après marche, il la rejoindrait au premier. D'ailleurs je ne veux pas simplement coucher avec elle, à quoi bon brûler les étapes, il faut déguster les prémices, tâtonner un peu, hésiter… « Menteur, si elle t'appelait, là, tout de suite, tu lui sauterais dessus ! » insinua la petite voix.

Elle n'appela pas et, pour passer le temps, Milo ouvrit un tiroir assez profond juste sous la caisse. Il y trouva un lapin en peluche tout râpé au visage hilare, genre Bunny, et aux longues pattes postérieures vêtues de caleçons mauves. D'autres pantalons, taillés dans des tissus multicolores, étaient soigneusement empilés à côté d'un petit balluchon et d'un minuscule chapeau de paille. « Ne t'attendris jamais sur ses brassières et ses hochets », entendit-il soudain une voix éraillée crier en lui, et il revit Mme Troussel, une amie de sa mère, secouer sévèrement la tête en regardant Mme Jassy trier le contenu d'une malle. « Regarde-le, poursuivait-elle durement en désignant le garçon voûté qu'il était à quatorze ans, encombré de ses jambes. Ce n'est plus le même ! On change, les cellules meurent tous les sept ans pour se renouveler, deux fois déjà tu l'as perdu, alors un conseil, jette tout ça et oublie, c'est fini. » Reposant le lapin, il s'empara d'une boîte à cigares en métal. Elle contenait quelques photos. Au dos de la première était écrit au crayon : La Baule, juillet 1984. Il la retourna et vit une femme blonde bien en chair en maillot de bain rouge, au visage un peu empâté, qui grimaçait un sourire et tenait par la main une fillette se protégeant les yeux avec une pelle en plastique. Il entendit des pas dans l'escalier et remit précipitamment la boîte dans le tiroir. Laura s'avança, portant un plateau rond sur lequel débordaient un peu deux tasses pleines à ras bord.

— Excusez-moi, j'ai été longue, je suis en panne de cafetière. Je croyais avoir des biscuits quelque part, mais…

— Ça ira très bien.

Elle restait debout devant lui, et soudain il comprit qu'il n'y avait pas d'autre siège. Il bondit sur ses pieds.

— Asseyez-vous, si, si, moi je vais me débrouiller. Voilà.

Avant qu'elle ait pu l'en empêcher il s'était hissé sur le comptoir.

— Ne vous inquiétez pas, c'est solide.

« Imbécile, ricana la voix, tu t'imagines la séduire en bousillant son matériel ? » Il croisa une jambe par-dessus l'autre d'un air crâne et porta la tasse à ses lèvres. Le café était brûlant, il faillit s'étrangler et, pour comble de malheur, une crampe attaqua ses mollets. Il se pencha négligemment vers Laura pour apaiser la douleur.

— Nous avons quelque chose en commun, vous et moi, lança-t-il d'un ton enjoué.

— Ah oui ? Quoi ? Je sais : nous aimons tous les deux la salade.

— Non, je parlais de notre vie privée. Pas de père.

— Comment ?

— Vous n'avez pas connu le vôtre. Le mien est mort quand j'avais treize ans.

— Tiens, c'est curieux, remarqua-t-elle en posant sa tasse. Et alors ? reprit-elle après un silence songeur. Qu'en concluez-vous ? Que nous sommes victimes d'un maternage excessif ?

— Je ne suis pas très doué pour les déductions psychologiques, et j'ai horreur des généralisations. Je constate, c'est tout.

N'osant baisser les yeux vers elle, il s'adressait à sa tasse presque vide.

— Il y a un roman que j'ai lu et relu quand j'étais plus jeune, dit-elle, parce que je m'identifiais au héros, c'est *David Copperfield*. La quête du père ! Sauf que ne pas connaître le sien me semble pire que de le savoir mort.

Milo sauta sur la référence littéraire.

— Alors ça nous fait deux points communs, parce que j'idolâtrais M. Micawber et j'ai toujours suivi ses conseils financiers : « Revenu annuel vingt livres, dépenses annuelles dix-neuf livres, résultat : le bonheur. Revenu annuel vingt livres, dépenses annuelles vingt et une livres, résultat : la misère. »

Il se laissa glisser au sol et posa une main sur son épaule. Il la sentit se raidir. Elle se leva, prenant garde de se placer derrière le tabouret.

— Toujours des citations et des livres, Milo.

L'entendre prononcer son nom, arrondissant doucement ses lèvres sur le « o » final, l'émut. Il avança d'un pas.

— Au diable les bouquins. Rien ne vaut la vie.

Elle ne lui laissa pas le temps de l'atteindre. Déjà elle se tenait de l'autre côté du comptoir.

— Je ne suis pas encore tout à fait prête à vivre mes rêves. Croyez-vous que vous pourriez attendre ?

Il y avait tant de ferveur et de désarroi mêlés sur son visage qu'il fut soudain plus heureux que si elle s'était jetée dans ses bras.

— « Filles de Jérusalem, laissez dormir celle que j'aime, laissez-la continuer son rêve, jusqu'à ce que l'amour la réveille ! » murmura-t-il.

— Ne me dites pas que c'est de Dickens, remarqua-t-elle, troublée.

— Non. *Le Cantique des Cantiques*. Oui, Laura, j'attendrai.

Ils se quittèrent sans même s'être effleuré la main. Milo exultait. Pour un peu, il aurait crié. Immobile, sur le trottoir, elle le regarda s'éloigner d'un pas vif. Pas une fois il ne se retourna.

Dès qu'elle eut poussé le verrou, Laura se sentit en sécurité. L'appartement surmontait la boutique, ce petit deux-pièces était son refuge. De la première chambre, avec son coin cuisine, elle avait fait un lieu de réflexion où, hormis le fauteuil de toile, la table ronde et l'unique chaise, n'étaient admises que ses propres photos. Des rues désertes au point du jour. Des gros plans de visages dont un côté était noyé dans l'ombre. Quant à l'autre chambre, aux murs blancs, meublée d'un matelas posé sur la moquette, d'une longue penderie en pin, de coussins et d'étagères garnies de livres, elle la rêvait ainsi depuis l'enfance. Coincée jusqu'à quinze ans entre un buffet Henri II et une table monumentale, elle ouvrait les yeux chaque matin sur les moutons, les bergères, les bergères, les moutons de la toile de Jouy. Elle avait essayé de les dissimuler sous des posters, sa mère avait poussé les hauts cris. Elle dormait dans un clic-clac ouvrable entre vingt et une heures et sept heures, face à l'aquarium sacré : une télé monumentale bordée de formica. Un jour, j'aurai une chambre pour moi seule, elle sera blanche et presque vide...

Elle ôta ses escarpins, déboutonna son chemisier et sa jupe avant de s'allonger. Elle prit quelques cassettes dans un bac près du lit. Elle les rejeta toutes, sauf une, qui ne portait mention d'aucun titre. La glissant dans le lecteur, elle attendit. La voix chaude, un peu éraillée, emplit la chambre.

Now that I've lost everything to you, you say you
Want to start something new and it's breaking
My heart[1]*...*

Longtemps, elle avait ignoré le sens de ces paroles, ne s'attachant qu'à la mélodie qui s'était gravée en elle aussi profondément qu'une vieille cicatrice. À présent elle comprenait. Douloureux, les mots. Ronds comme des chewing-gums trop mâchés, et cependant coupants.

Oh baby, baby, it's a wild world...

Elle gémit. Oui, c'était un monde dangereux, menaçant, et bien qu'elle ne pût se rappeler comment

---

1. *Wild Word* de Cat Stevens. (« Maintenant que j'ai tout perdu pour toi, tu dis que tu veux comme quelque chose de nouveau, et ça me brise le cœur... »)

ce monde lui avait révélé son impitoyable nature, elle avait la certitude d'en être responsable.

Milo balança sa canadienne sur une chaise. Il ignorait s'il s'était conduit en galant homme ou en parfait imbécile. Il aurait pu insister, évoquer le destin qui les avait mis en présence. Le destin prit sur-le-champ l'apparence de Charline Crosse, et il préféra miser sur le hasard. Des images surgirent. Les seins de Laura gonflant le chemisier, ses jambes déliées, ses lèvres... Elle l'invitait dans sa chambre : lumière tamisée, musique douce, montée du désir, apogée du plaisir... Puis il vit ses cheveux dorés, ses yeux gris, et préféra se convaincre qu'il avait intentionnellement laissé la porte ouverte parce qu'il adorait rester dans l'incertitude du lendemain. Il envoya valser ses mocassins à travers la pièce. Lemuel poussa un jappement de douleur.

— Pardon, le chien. Nous connaissons tous deux mes points faibles, impulsif et sentimental, entre les mains d'une fille séduisante je deviens le dernier des abrutis. Je sais, ce n'est pas une raison pour t'assommer. Allez, viens !

Lemuel sauta sur le lit et se roula en boule avec un grognement de satisfaction. Au moment où Milo allait s'évader dans le rêve, Perceval et Lancelot Levasseur vinrent démentir les propos de leur mère concernant l'apaisement de leurs gencives. Les yeux à demi clos, Milo appuya sur le bouton de la radio. Bach dévida aussitôt ses gammes, pas assez fort cependant pour couvrir la voix du toréador affirmant à tout l'immeuble qu'un œil noir le regardait.

La fille au baladeur se sentait épuisée. Pourquoi Marijo ne lui fichait-elle pas la paix ? Elle avait bien droit à un peu de repos.

Elle ouvrit la Samsonite, posa le livre sur la table puis alluma une cigarette. Ses mains tremblaient.

C'est parce que je suis sur le point de recommencer.

La pièce était silencieuse, dépourvue de réalité. Elle entendait juste le léger crépitement de la pluie sur le vasistas de la lucarne. Elle leva la tête. Dans le miroir de la vitre cernée de ciel sombre, des yeux la fixaient si intensément qu'elle ne pouvait s'en détourner. Ils la pénétraient, fouillaient son esprit, forçaient l'oubliette où elle avait enfoui ses craintes et ses désirs. Elle sombrait dans une profonde torpeur d'où émergeaient les bribes d'une histoire qui appartenait à une autre. Les murs, le plafond de la chambre créaient un espace hors du temps où tout devenait simple : la voix de Marijo lui dictait ce qu'elle devait accomplir.

Parfois, la fille au baladeur éprouvait de la compassion pour Marijo, parfois elle la détestait. Quelqu'un, quelque chose les avait liées l'une à l'autre sans qu'elle puisse se rappeler comment cela s'était produit. Elle savait seulement qu'elle devait dédommager Marijo du mal qu'on lui avait infligé.

Elle tira sur sa cigarette : ça va continuer ainsi jusqu'à ce que j'en aie terminé.

Elle s'assit, appuya son dos au dossier de la chaise, son regard se posa sur le livre épais, habillé d'une reliure ouvragée auréolée d'une large tache sombre.

C'est du sang.

Cela aurait pu être aussi bien de l'huile, de l'encre ou de la peinture. Non. C'était du sang, Marijo le lui avait dit : « Je le sais, j'y étais, c'est du sang. »

La fille au baladeur suivit du bout des doigts les lettres gravées qui composaient le titre :
Vingt Mille Lieues sous les mers.

Ses lèvres se retroussèrent.

Tu n'es plus de la première jeunesse, toi ! Qui devinerait que tu atteindras bientôt la cote de sept vies ?

Une petite veine se mit à palpiter sur sa tempe. Un hochement de tête. Une décision. La réponse se dissimulait à l'intérieur du volume. Elle l'ouvrit.

C'était un exemplaire unique enrichi de notes manuscrites, de dessins originaux, de documents rares : un livre truffé.

Elle en tourna les pages avec précaution, s'attardant à la lecture de quelques vers de Louise Michel dédiés à Victor Hugo, tracés d'une écriture énergique sur une feuille volante :

Voyez dans la brume un rocher couvert d'ombres
C'est là qu'est le maître exilé
Mais par lui, dans la nuit, des visions sans nombre
Monte l'avenir étoilé.

Plus loin, un brouillon de lettre adressée à Victor Hugo :

« Cher Maître, Enjolras vous demande pardon de sa hardiesse d'hier et de celle d'aujourd'hui… »

Et, dans la même enveloppe, de la main même de Hugo, un long hommage qu'elle lut lentement à mi-voix :

Victor Hugo à Louise Michel
     VIRO MAJOR
… Et tous ceux qui, comme moi, te savent incapable
de tout ce qui n'est pas héroïsme et vertu
qui savent que si l'on te disait : « D'où viens-tu ? »

Tu répondrais : « Je viens de la nuit où l'on souffre. »
Décembre 1871.

Le poème qu'elle préférait se trouvait glissé face à une réplique du capitaine Nemo : « Croyez-vous que j'ignore qu'il existe des êtres souffrants, des races opprimées sur cette terre, des misérables à soulager, des victimes à venger ? » Il s'intitulait : *Ballade en l'honneur de Louise Michel* et était signé Paul Verlaine :

Citoyenne ! Votre évangile
On meurt pour ! C'est l'honneur !

En marge d'un autre dialogue de Nemo, Louise Michel avait retranscrit à la main la traduction d'un chant canaque :

Très beau, très bon	*Ka kop,*	*Cet indien, monsieur le professeur, c'est un habitant du pays des opprimés, et je suis encore, et, jusqu'à mon dernier souffle, je serai de ce pays-là*
Rouge ciel !	*Mea moa,*	
Rouge hache,	*Mea ghi*	
Rouge feu,	*Mea iep,*	
Rouge sang	*Mea rouia,*	

— *Mea rouia*, murmura la fille au baladeur.

Elle écrasa sa cigarette. Ce livre avait brisé la vie de Marijo et empoisonné la sienne. Il avait fallu le trimballer partout, veiller sur lui, garder le secret, attendre. Lorsque tout serait accompli, elle s'en débarrasserait avec bonheur, il existait assez de cinglés sur cette terre pour lui en offrir une petite fortune. Elle allait profiter de l'existence, se détendre, devenir comme tout le monde.

— Bientôt, bientôt, il n'en reste que trois.

9

23 octobre

Milo se versa une tasse d'eau chaude et la contempla stupidement, avant de comprendre qu'il avait omis d'introduire dans la cafetière l'ingrédient principal. Il était épuisé. Ses nombreux réveils avaient perturbé Lemuel qui, à son tour, s'était levé plusieurs fois, l'empêchant de retrouver le sommeil à partir de cinq heures.

Pendant que la cafetière gargouillait, il fit le derviche autour du téléphone comme s'il espérait le voir voler jusqu'à lui. Une impulsion le figea, il tendit la main pour composer le numéro qui l'obsédait. Il ne reconnut pas la voix traînante affligée d'un accent rocailleux et faillit raccrocher.

— Allô ?

— Allô ? Allô ? Nelly ? C'est moi, Milo !

— Mme Bannister est absente. Elle a dit qu'elle ne reviendrait que lundi ou mardi.

— Qui êtes-vous ?

— La femme de ménage.

— Puis-je la joindre quelque part ?

— Non monsieur, c'est impossible, je n'ai aucune idée de l'endroit où elle se trouve.

Il reposa brutalement le combiné au moment où une série de crachotements annonçaient que le café était prêt et la cafetière entartrée.

— Absente, marmonna-t-il. Comme par hasard.

En téléphonant, il s'était approché de la fenêtre. Talonné par son maître échevelé et grincheux, Bobby arrosait consciencieusement l'une après l'autre les jardinières. Une idée effleura Milo. Sans prendre le temps de passer une veste, il siffla Lemuel et descendit l'escalier quatre à quatre. Il rejoignit Blaise Le Branchu alors que celui-ci s'apprêtait à s'engager dans la rue de Lyon.

— Monsieur Le Branchu, j'ai un petit renseignement à vous demander. Essayez de vous rappeler, c'est très important. La femme qui vous a remis un paquet pour moi, mercredi…

— Ah non, c'était mardi soir, sans l'ombre d'un doute, c'est le jour où il y a eu la catastrophe aérienne aux informations, vous savez, près de Bogota, même qu'on n'a pas encore retrouvé tous les…

— Bon, bon, le coupa Milo. Cette femme, elle était grande comment ? Ma taille ?

Blaise Le Branchu recula d'un pas et, le menton dans la main, jaugea Milo.

— Je n'ai pas fait attention. En tout cas, côté silhouette, c'était le genre fil de fer, avec des jambes en bâtons de sucette.

— Quoi ?

— Ben oui, c'est l'époque qui veut ça, elles suivent toutes un régime de famine, elles auraient dû vivre pendant l'Occupation, comme moi, quatre ans de saccharine, de rutabagas et de topinambours !

— Elle était petite, alors.

— L'Occupation ?

— Mais non, la femme.

— Impossible à dire, elle attendait sur le palier, moi je remontais avec Bobby, si bien que je me tenais deux marches au-dessous d'elle. Remarquez, même si elles sont petites, on n'y voit que du feu avec leurs chaussures à semelles compensées. Ah, c'est rigolo, on y revient, hein, monsieur Jassy ?

— À quoi ?

— À la mode de l'Occupation… Justement, j'ai voulu vous en parler plusieurs fois mais… vous le connaissez cet Arabe ? poursuivit-il à voix basse.

— Quel Arabe ?

— Ce jeune homme que j'ai croisé hier matin. Il sortait de chez vous.

— Selim ? Oui, c'est un ami. Pourquoi ?

Le ton nettement agressif de Milo eut sur M. Le Branchu l'effet d'une douche froide, il se ratatina.

— Oh pour rien, bien sûr, ça ne me regarde pas, mais avec tout ce qui se passe on est obligé de se méfier.

— Si ça peut vous rassurer, il va racheter l'appartement des Levasseur, il compte faire venir d'Algérie ses six frères et sœurs, sa grand-mère et ses parents.

Depuis un moment, les grondements de Lemuel tentaient de tenir à distance Bobby et son queuton. Il avait déniché dans le caniveau un os dont il comptait fermement faire son seul profit. Milo fourra l'os dans la poche de son jean, prit le fox dans ses bras, et il s'éloigna rapidement après avoir salué Le Branchu d'un bref signe de tête.

Te voilà bien avancé, pensa-t-il. Si la femme au bonnet avait été plus petite que toi, Nelly était hors de cause, mais cet imbécile est incapable de…

Il se trouva nez à nez avec Bachir qui allait travailler.

— Dis donc, fameux loustic ton cousin ! C'est en faisant la manche dans le métro qu'il compte devenir épicier ?

Bachir prit le temps de se moucher trois ou quatre fois avant de répondre d'un air embarrassé.

—· Milo, il faut que je te dise, ce n'est pas tout à fait mon cousin…

— Comment, pas tout à fait ? C'est un cousin à la mode de Bretagne ?

— Euh… même pas. Je l'ai rencontré à la fac, il chantait, on a sympathisé, il ne savait plus où crécher et…

— Merci d'avoir pensé à moi ! Je te signale qu'il est parti sans laisser d'adresse !

« Mais si, tu la connais, son adresse, c'est celle de Stella ! » clama sa petite voix.

Claquant la porte, il posa rudement à terre Lemuel qui jugea plus prudent de s'aplatir dans un coin sans pour autant quitter des yeux la poche d'où pointait l'os.

— Ils commencent tous à me cavaler ! lança Milo en pliant rageusement une serviette oubliée sur la table. Selim…

Que savait-il de Selim ? Rien. Et s'il faisait partie du complot ? Quel complot ? Te crois-tu au centre d'une cabale montée pour anéantir tous les bouquinistes ou mieux, tous les bouquinistes ayant adopté un fox boulimique ? L'œil suppliant de Lemuel opéra à cet instant un miracle : un os atterrit devant sa truffe.

Milo s'empara du sucrier et demeura le bras levé : il venait de retrouver la coupure de presse relatant la mort d'Émilienne Bagot. Le sucrier sur les genoux, il s'assit et la relut, l'esprit taraudé par une question : cette Charline Crosse, que la police avait bien dû interroger, pourquoi n'avait-elle pas mentionné sa visite ?

Il soupira. Encore une journée de quai compromise, malgré un temps potable. Il devait en avoir le cœur net, quitte à courir le risque d'être repéré. Agir. Ne plus être une marionnette ballottée par un souffle invisible et hostile.

Il visita les cabinets, lieu d'inspiration idéal où la peinture des murs s'écaillait, révélant des visages mystérieux. Il gratta du pouce un centimètre carré de plâtre, pour agrandir un masque cornu dont l'apparence évoquait celle de Diego, l'accordéoniste de la ligne 4. Et lui, quel est son rôle dans cet imbroglio ?

À la station Ourcq, il émergea dans l'avenue Jean-Jaurès en clignant des yeux, aveuglé par la lumière trop crue. Si nous continuons à passer nos journées sous terre, nous allons tous nous changer en taupes !

Rue d'Hautpoul, sur le vieux mur tagué, le silence des pantoufles annonçait toujours la venue de son règne obscur.

Il longea une cordonnerie, une boutique de papier peint, un salon de coiffure, remarquant au passage que ses annonces avaient disparu. D'un pas résolu, il entra dans une boulangerie et s'acheta un chausson aux pommes. La vendeuse, une jeune fille très maigre au visage boutonneux, ne paraissait pas le voir. Il toussa pour attirer son attention et demanda :

— Lundi dernier, vous avez eu l'obligeance de me laisser scotcher une annonce sur votre porte. Vous l'avez enlevée ?

D'un air offensé, la vendeuse retroussa la lèvre supérieure, révélant des dents pointues et mal plantées.

— Moi ? Non. J'y ai pas touché. C'est cette femme qui est venue juste après vous. Elle a dit que c'était plus la peine.

Il allait répliquer, exiger des détails, quand la porte s'ouvrit et livra passage à six ou sept ménagères. Avant de les servir, la jeune fille jeta à Milo un regard menaçant où il crut lire : « Toi, c'est pas le moment de me casser les pieds ! » Il sortit. « Ma parole, c'est pire que les queues pendant l'Occupation, je la cuisinerai plus tard », grommela-t-il en poursuivant son chemin. Du trottoir d'en face, il observa le numéro 52. Pas l'ombre d'un flic, pas de voitures banalisées abritant des espions, personne. Si. Une femme surgit de l'immeuble, énorme, appuyée sur deux cannes dont le balancement burlesque à chacun de ses pas rappela à Milo la vieille plaisanterie de sa mère : « Madame, vous qui allez à droite et à gauche, vous pourriez pas me trouver un appartement ? »

Il n'eut pas à la suivre très loin. Au bout de quelques mètres, elle tourna brusquement pour pénétrer dans le cimetière de la Villette. Comme elle approchait d'un cabanon, son roulis s'accentua, elle coinça ses deux cannes sous son bras droit et se pencha afin de saisir l'anse d'un arrosoir. D'une démarche incertaine elle gagna une tombe toute proche et, penchée en avant, parut se recueillir. Milo ne fut pas long à se charger lui aussi d'un arrosoir et à se diriger vers la tombe voisine. Un regard lui apprit qu'il allait ainsi honorer la mémoire de Valentine Jourde, décédée en 1972, paix à son âme. Du coin de l'œil il vit la grosse femme qui, loin d'être en prière, disposait artistement quelques chrysanthèmes dans un broc ébréché. Au mouvement de ses lèvres il devinait qu'elle parlait toute seule. Avec un grognement de douleur elle voulut reprendre l'arrosoir. Milo la devança.

— Vous voulez que j'aille le remplir ?

— Ça, ce serait drôlement gentil, c'est pire que si j'avais les côtes en long. Mais faut pas que ça vous dérange…

— De toute façon, j'y allais pour moi.

— Vous avez quelque chose à arroser, vous ?

Tous deux contemplèrent la tombe de Valentine Jourde. Sur le granit noirci ne poussaient que deux pivoines rouges en plastique posées près d'un squelette d'arbuste en pot.

— Enfin… J'ai planté des graines là, tout autour.

— Je sais pas si c'est bien la saison, dit la femme, sceptique.

Les bras tirés par les deux arrosoirs pleins, Milo revint de la fontaine en soufflant comme un phoque. Mon vieux, tu rajeunis pas. Ce qu'il faut pas faire, tout de même !

— Vous êtes vraiment aimable, ça devient rare de nos jours… Vous voulez bien verser l'eau tout doucement, là, sur le bac aux géraniums, voilà, et maintenant l'autre, celui des zinnias et des pensées. Parfait !

Tout en humectant la terre, Milo découvrait avec consternation la dernière demeure de Gérard Mangin, 1906-1984, employé à la RATP, « notre époux bien-aimé et ami sincère », croulant sous les fleurs, les perles et les portraits encastrés dans des livres de stuc gravés d'inscriptions dorées. Si j'étais libre de choisir, j'aimerais qu'on m'enterre dans une forêt de préférence non balisée… pensa-t-il.

— Vous voulez que je vous aide ? proposa la femme.

— Non, non, ça ira…

137

Milo répandit l'eau sur la caillasse entourant la pierre tombale et se dit que, rien ne se perdant jamais tout à fait, il en sortirait bien quelque chose, ne fût-ce qu'un pissenlit.

— Moi, ça ne me regarde pas, mais vous devriez peut-être enlever cette plante desséchée, ça ne fait pas bon effet.

— Oui, vous avez raison, c'est mort, j'aurais dû venir plus tôt mais j'habite la province, ce n'est pas facile, affirma Milo en agitant le pot comme pour le punir.

— Et moi, si je vous disais que je vis tout à côté mais que je ne peux plus descendre qu'une fois tous les quinze jours, gémit la femme. Pensez, cinq étages sans ascenseur, heureusement M. Bourdoin me fait mes courses, il est très serviable lui aussi pourvu qu'il soit pas soûl comme un Polonais. C'est pas en ouvrant mes fenêtres que je m'aère les bronches, surtout avec les matous d'la folle qui sentent le pipi à plein nez ! Alors, deux fois par mois, je viens faire la causette avec mon Gérard. Comme il peut plus me répondre, c'est apaisant. Et vous ?

— Moi ?

— Vous venez pour qui ?

— Euh… ma tante, répondit Milo en désignant la tombe.

— Ah ? C'est drôle, j'ai toujours cru qu'elle avait pas de famille.

— Parce que vous la connaissiez ?

— Oh moi, avant, je connaissais tout le monde dans le quartier, pensez, ça fait quarante ans que je suis fixée là. Alors comme ça, vous êtes son neveu, à Valentine ?

— Par… par alliance, bredouilla Milo, qui s'empressa d'ajouter d'un ton larmoyant : Ah, on est bien peu de chose, « chaque instant de la vie est un pas vers la mort »…

— Oh, c'est beau, ça, c'est triste mais c'est beau ! Ben c'est tout à fait pour ma voisine, hier vivante, le lendemain trucidée, crac ! On l'a emportée, allez savoir où elle reposera, personne pour la pleurer, elle vivait seule avec sa chienne, c'te pauv'bête, j'l'aurais bien prise, mais…

— Trucidée ? Qu'entendez-vous par là ?

— Zigouillée, quoi ! Juste la porte à côté. Doux Jésus Sainte Mère de Dieu, dit la femme en se signant, dire que ça aurait pu être moi ! Vous le saviez, vous, qu'y a un étrangleur de veuves dans le quartier ? Pauvre Émilienne !

— Elle a été étranglée ? s'étonna Milo.

— Mais non, voyez la fourberie du criminel, là il a changé sa méthode pour pas qu'on le reconnaisse ! Étouffée avec un sac en plastique ! Vous parlez d'une invention, ça pollue et ça risque de tuer les bébés, les sacs plastique. Remarquez le pain rassis, c'est aussi une arme offensive, le soir on peut assommer quelqu'un avec une baguette du matin, et…

Milo n'écoutait plus. Un sac en plastique, comme Roland ! Il frissonna. Il se tourna vers la femme qui parlait toujours.

— Faut avouer qu'Émilienne elle avait un caractère de cochon, elle râlait à tout bout de champ, elle était connue au commissariat, trois fois elle a porté plainte contre la Bouillon – la folle aux chants –, alors que celle-là elle est plus à plaindre qu'autre chose. Tout de même, c'était pas une raison pour la saigner !

— Mais vous parliez d'un sac… murmura Milo en reculant d'un pas.

La femme s'avança aussitôt, passant sa langue sur ses lèvres avec la gourmandise d'un chacal.

— Après ! cria-t-elle d'un ton triomphant. Étouffée d'abord, saignée après ! Si c'est pas du vice, ça ! Et qu'est-ce qu'on fait pour notre sécurité ? Rien ! On protège tout le monde, les Noirs, les Arabes, les jeunes, les chiens, mais nous, les veuves, rien !

— Vous disiez que la police a interrogé des suspects.

— Moi ? J'ai jamais parlé de ça ! Ils ont posé des tas de questions à tous les locataires, ça c'est sûr, mais à moins de considérer l'immeuble entier comme suspect... Ou de me soupçonner moi ! Parce que j'en sais, des choses – mais je leur dirai pas. Émilienne et moi on prenait le café en causant du bon vieux temps. Avant, elle était concierge, et je peux vous affirmer qu'elle en a vu des vertes et des pas mûres ! Un jour elle m'a montré sa photo dans le journal, elle avait sauvé la vie d'une gamine, je me souviens plus comment. Je perds un peu la mémoire, j'ai quatre-vingt-neuf ans tout de même. C'est dur de vieillir, surtout quand on est malade. Vous savez quoi, jeune homme, je propose que nous allions nous asseoir sur ce banc, là-bas. Permettez que je m'appuie sur vous ?

L'épaule endolorie, Milo se laissa choir à côté de la femme. Avec horreur il la vit soulever lentement la longue jupe qui l'enveloppait jusqu'aux pieds.

— Toute cette eau, c'est fou ce que c'est pénible. Je pourrais leur en donner au Sahel, si seulement elle était potable !

Milo ricana en se mordant les lèvres. Inexorablement, le tissu remontait, révélant deux énormes jambes striées de rouge et de violet, comme des cartes fluviales.

— Ah, ça fait du bien de respirer un peu. Alors comme ça vous vivez en province ?

— Vous n'avez pas terminé votre histoire : cette voisine avait sauvé une gamine...

— Ah oui, quand elle était concierge, on a parlé d'elle dans le journal. Oh, pas en première page mais tout de même, y avait de quoi être fière, parce que ce canard il s'est vendu à beaucoup d'exemplaires, pensez, avec un titre pareil en grosses lettres !

— Quel titre ?

— Tout ce que je sais, c'est que ça parlait de la libération des otages du Liban. Elle a eu droit à la quatrième page, l'Émilienne, c'est pas si mal.

Elle poussa un soupir.

— Tous ces interrogatoires de police, ça m'a retournée. Paraît que le criminel est entré chez elle avec une fausse clé, parce que Émilienne elle était méfiante, elle se bouclait à double tour. On a dû enfoncer sa porte. C'est moi qui ai prévenu M. Bourdoin, sa Tosca elle hurlait à la mort.

— Si quelqu'un est entré sans forcer la serrure, c'est peut-être un familier, un parent ou bien un sous-locataire qui logeait chez elle ?

— Pensez-vous ! Elle était seule au monde, et puis c'est bien trop petit pour avoir des sous-locataires, vingt-huit mètres carrés, une chambre grande comme un mouchoir de poche et une cuisine plus petite qu'un placard à balais ! En plus j'habite à côté, j'entends tout. Non, Émilienne elle vivait en ermite, ses romans d'amour, sa télé, sa chienne, s'il y avait eu quelqu'un je l'aurais su : les murs sont en papier ! Les chats de la folle, quand ils miaulent c'est comme s'ils étaient sous mon lit !

— Alors ce pourrait être une personne au courant de ses habitudes, je ne sais pas, moi, une aide-ménagère, une infirmière...

— Dites donc, ça vous intéresse rudement, cette affaire.

— Eh bien, je suis amateur de suspense, d'histoires de détectives, vous savez… et là, je dois dire que c'est aussi énigmatique que *Le Mystère de la chambre jaune*.

— Ah ? J'la connais pas, cette chambre, mais vous avez raison. M. Bourdoin affirme que c'est pas tous les jours qu'on a un aussi beau crime à se mettre sous la dent. En parlant d'infirmière, vous me faites penser à quelque chose. Y a bien une femme qu'était venue le mois dernier pour faire des massages à Émilienne – quand son lumbago la prenait elle était d'une humeur de chien, pour son ménage c'était la croix et la bannière ! J'l'ai jamais revue, cette fille-là. J'aurais bien voulu qu'elle me soigne aussi, seulement elle m'a dit qu'elle déménageait.

— Elle était comment ?

— Très bien, très polie. Je lui ai même demandé le nom de sa teinture, moi aussi j'aimerais avoir les cheveux bleus, la coquetterie c'est pas une question d'âge, de nos jours on ne respecte plus les cheveux blancs.

— Et… vous en avez parlé à la police ?

— Je vous l'ai dit, à eux j'ai raconté que le strict minimum. Pour les flics, l'infirmière est inconnue au bataillon. Mais qui sait, faudrait peut-être creuser de ce côté…

— J'ai lu pas mal de romans policiers, et je ne pense pas que ce meurtre soit l'œuvre d'une femme, assura Milo.

— L'étrangleur des veuves… chuchota la femme avec un frisson. J'ai rajouté deux cadenas à ma porte. Bon, c'est pas tout ça, faut que je remonte, et avec mes guiboles, j'en ai pour une demi-heure avant d'arriver au sommet...

Tandis que la veuve Mangin appareillait en vacillant d'une canne à l'autre, Milo regagna la tombe de sa « tante » et simula la componction la plus familiale en s'efforçant de faire le point. Puisque Émilienne Bagot n'avait jamais eu de locataire, il était sûr désormais que Charline Crosse lui avait raconté des craques. Son nom seul aurait dû me faire flipper.

Quand Milo se décida à quitter le cimetière, la veuve était rentrée dans son immeuble. Il retourna à la boulangerie et se heurta à une porte close : Ouverture à seize heures. Il remonta la rue d'Haut-poul jusqu'au bar *Le Relax*. Il avait besoin d'un café. Avec un petit choc, il reconnut, affalé contre le comptoir, le type un peu dégarni croisé dans le couloir du 52 le mardi précédent. Bourdoin éclusait, déjà à demi plongé dans une douce hébétude grâce aux quelques demis qu'il avait vidés. Deux superbes huskies somnolaient à ses pieds. Mon vieux, c'est le quart d'heure de vérité, s'il te reconnaît tu es cuit ! se dit Milo en s'accoudant à côté de l'homme. Il ne pouvait faire moins que commander un ballon de blanc.

— Ce sont des chiens du Grand Nord, n'est-ce pas ? Ils sont vraiment magnifiques, remarqua-t-il en faisant claquer sa langue.

Bourdoin daigna lui accorder un regard flou.

— Vous trouvez ? Je suis d'accord avec vous. Et merde à ceux qui prétendent que je les affame !

— Ils m'ont pourtant l'air bien nourris. Qui peut dire de telles sottises ?

— Pouvait dire. Nuance. Parce que maintenant elle peut plus rien dire. On lui a fait avaler son bulletin de naissance.

— À qui ?

— À la bignole du cinquième. C'est bien fait ! Vous êtes pas au courant ? Ils en ont causé dans le journal. L'assassin court toujours, il lui a coupé la chique avec un sac en plastique et puis, pour être sûr qu'elle avait passé l'arme à gauche, il lui a planté un couteau dans le burlingue. Il devait avoir un compte à régler parce qu'il lui a rien volé, enfin à ce qu'il paraît, elle avait peut-être des économies quelque part.

La voix de Bourdoin s'empâta, sans doute par manque de carburant. Milo fit signe au garçon de servir un autre ballon et un énième demi. Bourdoin s'empressa de tremper sa moustache en brosse dans la mousse. L'haleine un peu plus lourde, il reprit d'un ton nasillard :

— Ou alors c'est aux bouquins qu'il en avait, parce qu'à eux aussi il a réglé leur compte.

— Qu'est-ce que vous dites ?

— Parfaitement ! Deux bouquins qu'elle avait sur le bide, la Bagot, deux loques toutes déchirées comme si un gros chat s'était fait les griffes dessus ! Je les ai vus le premier, c'est moi qui ai enfoncé sa porte avant l'arrivée des flics, rapport au gaz, on sait jamais.

— Des livres de qui ?

— Est-ce que je sais, moi ? Ah si, attendez ! Jules V... V...

— Verne ?

— J'crois bien qu'oui. Et puis J... Jean Valjean. Mais chut. Faut pas trop causer. La police a des yeux partout, et des zo... reilles ! Y m'ont cuisiné

144

parce que tout le monde savait qu'entre nous c'était pas une histoire d'a… mour. Elle m'avait collé la PSA… la SPA au cul !

Bourdoin commençait à être vraiment éméché, et Milo se sentait pompette. Il ne tirerait rien de plus de cette éponge. Il agita un billet en direction du garçon. Bourdoin hocha la tête en balbutiant.

— Vous faites bien de payer en liquide pasqu'y paraît qu'avec des jumelles, ceux des immeubles en face des distributeurs, y z-arrivent à voir le numéro de votre carte bleue, y sont capables de tout, avec le progrès. Y a d'l'investissement dans les ju… jumelles, là !

Milo respira profondément. L'air vif le remit d'aplomb. Au soulagement de fuir le couple Mangin-Bourdoin s'ajoutait la joie de n'avoir pas été reconnu par le soiffard. Au-dessus des toits s'amoncelaient de lourds nuages qui allégèrent son cœur : il pleuvrait bientôt, et fort. Qui sait, cela durerait peut-être jusqu'au soir, en ce cas il ferait l'école buissonnière sans aucun remords.

Rue Manin, il s'acheta un sandwich et ne tarda pas à atteindre les Buttes-Chaumont. Assis face au lac il mâcha lentement son thon-crudités. Assailli d'hypothèses toutes plus insensées les unes que les autre, la tête lui tournait. J'ai vu trop de films, lu trop de livres, je perds la boule.

De grosses gouttes mouchetèrent la surface de l'eau. Il rejoignit la rue Manin et s'engouffra dans la première cabine téléphonique. L'averse le coupait du monde, il avait l'impression d'être sur une épave à la dérive. Tenace, persistant, le désir de se raccrocher à la seule personne dont il souhaitait la présence balaya son indécision. Il composa le numéro de Laura. La ligne était occupée.

Il ne pouvait détacher les yeux du combiné. Le crépitement de la pluie fouettant les vitres remua quelque chose enfoui au fond de lui. La pluie… le téléphone… Charline Crosse… Souviens-toi, Charline Crosse au téléphone, mardi dernier, il pleuvait… Il était si excité qu'il avait du mal à se concentrer. « J'ai lu votre annonce… Je m'appelle Émilienne Bagot… » Bagot, Bagot, Bagot. Ce nom machinalement répété devenait absurde, bagot, fagot, magot, ragot, Bagot Émilienne qui n'avait jamais hébergé de sous-locataire. Émilienne Bagot, soixante-quatorze ans, veuve, morte, assassinée de la même manière que Roland, un rituel trop précis pour qu'on puisse parler d'une coïncidence, la tête dans un sac en plastique, la poitrine tailladée. C'est dingo. Quel lien pouvait bien les unir ? Quels points communs entre un libraire et une pipelette grincheuse ? Voyons, réfléchis, c'est très important… Pourquoi suis-je impliqué dans cet imbroglio ? Il faut que je me remémore chaque détail. Le téléphone. Qu'a dit cette tordue de Charline Crosse au téléphone ? « Je m'appelle Émilienne Bagot. Je suis passée sur le quai, j'ai des livres à vendre, des Jules Verne dorés sur tranche… presque tous les titres, excepté un. »

« Excepté un ! » Tu tiens le bon bout, Milo.

Charline Crosse avait déclaré : « excepté un », elle avait aussi affirmé ne pas connaître la rouquine, alors comment pouvait-elle savoir que celle-ci avait décidé de détruire tous les *Vingt Mille Lieues sous les mers* qui lui tombaient sous la main ? Une seule conclusion s'imposait : les deux femmes étaient de mèche, elles l'avaient attiré sur la scène d'un crime programmé. Ont-elles choisi le magasin de photo au hasard ? Cela fait-il partie d'un plan ?… Laura est-elle dans le coup, joue-t-elle la comédie ?

Il ferma les yeux. Non, impossible. J'ai trop besoin de croire en elle.

Penchée sur le comptoir de la boutique, Laura tenait le téléphone d'une main et de l'autre une planche-contact dont elle observait chaque vue une à une.

— Il paraît quand ?… Oh, c'est merveilleux, Betty, je n'arrive pas à le croire, tu es un ange… Si, si, je t'assure. Écoute, j'ai un travail à terminer, ensuite je file prendre ma robe rue Vavin. On peut se retrouver au *Dôme* vers trois heures, ça ira ?…Bon, alors à tout de suite, je t'embrasse.

Laura reposa le combiné, brancha le répondeur et descendit les quelques marches qui menaient à son labo, un havre de paix auquel elle pouvait s'ancrer, loin du monde.

Elle pressa le déclencheur de l'agrandisseur, compta dix secondes, ôta le papier sensible du margeur pour le plonger dans le bain révélateur. Elle vit s'y dessiner lentement la silhouette d'un homme, debout, de trois quarts. Cette montée de l'invisible vers l'apparence lui semblait toujours magique, elle éprouvait alors l'émerveillement d'un enfant face aux tours d'un illusionniste.

Elle fit rapidement passer l'épreuve dans le fixateur, alluma, puis la lava à l'eau courante. À travers les faibles remous, Milo, accoudé au parapet du quai, contemplait la Seine d'une expression rêveuse.

Elle entendit grelotter le téléphone et sa propre voix lointaine conseiller de laisser un message, mais personne ne dit mot. Haussant les épaules, elle suspendit la photo à la suite d'autres clichés en train de sécher. Les étudiant de près, elle sut avec certitude qu'elle avait enfin réussi. Ces paysages dépouillés, ces bancs vides, ces cours désertes portaient la marque subtile d'un désir inassouvi. Liés entre eux par une petite musique mélancolique, ils lui ressemblaient.

Jusqu'à sa rencontre avec Betty Greene, elle n'avait jamais montré son travail personnel à quiconque. Betty l'avait abordée trois mois plus tôt lors d'une exposition consacrée à Roman Vishniac…

— *Émotionnant*, n'est-il pas ? Cet homme saisit la vie avec le cœur, un grand artiste.

La voix de l'inconnue était rauque, marquée d'un fort accent américain qu'elle tentait d'atténuer en roulant les *r*. Brusquement, Laura s'était sentie déprimée. Que valaient ses recherches, ses tâtonnements, ses efforts, comparés à ces photos bouleversantes ? Ces hommes, ces femmes, ces enfants fixés par l'objectif plus de soixante ans auparavant vivaient un éternel sursis, ces rues étaient imbibées des sons de la terre au crépuscule. Comment pourrait-elle trouver le chemin secret qui l'amènerait à capter le regard intérieur de ses semblables, à traduire leurs sentiments, leurs pensées ?

— Vous êtes de la partie ? demanda l'inconnue.

Laura approuva d'un air morne.

Plus tard, elle fut incapable de s'expliquer pourquoi elle avait accepté de montrer ses photos à Betty. Peut-être pour savoir ce qu'elles valaient vraiment ? Elle fut presque effrayée de l'entendre affirmer qu'elle avait du talent. Cette femme qui ne lui était rien l'encourageait à aller jusqu'au bout d'elle-même.

Laura regagna l'appartement, se déshabilla et alla se contempler dans la glace de la salle de bains. Elle se caressa les seins, les hanches, s'enlaça. « Je suis toute neuve », affirma-t-elle à voix haute. Elle scruta son visage et se demanda ce qu'il avait à voir avec son vrai moi caché au fond de son cœur.

Es-tu une tricheuse ? Une menteuse ? Peut-on t'aimer ? Il serait temps de grandir, tu ne crois pas ?

Mais son vrai moi n'en avait pas envie.

Elle revêtit une tenue sport, consulta sa montre : deux heures, elle irait à pied à son rendez-vous. Bien que le ciel fût dégagé, elle enfila un imperméable, fourra une paire d'escarpins dans un sac, sortit et se dirigea vers la rue Cuvier.

Elle n'avait pu résister. Prendre des risques pimentait le jeu, stimulait son imagination. La fille au baladeur rangea ses écouteurs. Il était passé à moins d'un mètre d'elle sans lui prêter attention. Qui remarquerait une petite bonne femme pareille à des milliers de petites bonnes femmes en uniforme : jean, sweat, baskets, sac à dos ?

Elle le dépassa à la hauteur de ses boîtes et alla s'accouder à la première demi-lune du Pont-Neuf. Tandis qu'il soulevait ses couvercles, elle l'observait en se demandant ce qui pouvait bien lui passer par la tête depuis une semaine. Il a pris un coup de vieux, constata-t-elle. Elle fut soudain emplie de pitié et de nostalgie.

Au moment où elle allait se redresser, elle éprouva subitement le besoin sauvage de l'humilier, de lui faire mal.

— Salaud, salaud ! gronda-t-elle.

Ses traits se crispèrent sous l'emprise de la peur : Marijo était revenue, elle pouvait la sentir palpiter dans sa tête. Marijo était revenue pour l'empêcher de faiblir.

« Je commence à en avoir marre de tes états d'âme ! Tu ne vas pas laisser tomber, nous touchons au but ! Tu as oublié ? Il s'est entiché de cette oie blanche et il m'a balancée sans se soucier de ce que je ressentais. L'ordure ! Mais il y a pire, tu le sais, il s'est servi de moi, ils se sont tous servis de moi, ils m'ont volé ma vie, je les hais ! »

Des ados en rollers passèrent en trombe sur le trottoir. Marijo tomba au fond d'un trou noir, la fille au baladeur tourna la tête, son regard se posa sur la statue équestre d'Henri IV. Elle avait beau la connaître, c'était comme si elle la découvrait. Des touristes envahirent la demi-lune, posèrent pour la postérité, s'éloignèrent.

La fille au baladeur s'assit. Marijo ignorait-elle avec quels soins méticuleux elle avait exécuté les moindres détails de son projet ?

Son pouls s'accéléra, chaque pion occupait sa case. Un sans faute, un montage parfaitement dosé, elle méritait l'oscar. Elle suivit le passage d'un bateau-mouche, bientôt elle serait libre. La vente de son « trésor » lui permettrait de réaliser tout ce que Marijo n'aurait jamais osé envisager. Les premiers temps elle ressentirait sans doute un grand vide, elle avait consacré tant d'années à son œuvre, écrit les dialogues, distribué les rôles, veillé à ce que tout soit parfait. Peut-être éprouverait-elle le besoin de monter un nouveau spectacle ? Le futur serait conforme à son désir. Il n'y avait vraiment aucune raison de se tourmenter, la sérénité viendrait avec l'oubli. Quel soulagement d'effacer le passé, de s'inventer sa vie jour après jour, de gommer ce qui est laid, déplaisant, dangereux !

La fille au baladeur se leva, il était temps d'aller endosser le costume de sa prochaine composition.

Tassé sur son pliant, l'esprit brouillé par ses découvertes de la matinée, Milo interrogeait le ciel.

— Ben quoi, Milo, te v'là changé en gargouille ! lui lança Stella. Relève les coins, flottera plus, ils l'ont dit à la météo.

— Je n'ai rien à lire.

— Tu te paies ma fiole ? Avec ces tonnes de papier empilé dans tes boîtes, t'as rien à lire ?

— J'ai oublié mon bouquin chez moi.

— Bon, j'vais t'faire rigoler un peu, je l'ai entendu à la radio : tu sais avec quoi on la coupe, la papaye ?

— Avec la fou-fourche, répondit-il, sinistre.

— Ah, tu la connaissais ? J'en ai une autre, écoute : quelle est la différence entre un moustique et ta mère ?

Il s'apprêtait à répondre qu'il préférait l'ignorer, quand Selim apparut à l'angle du pont.

Merde alors, il ne manquait plus que lui !

Milo amorça un retrait rapide vers son étalage. À cheval sur une mobylette, un jeune homme soupesait mollement *Les Fleurs du Mal* comme pour en évaluer le poids.

— Pardon, c'est à vous ? Vous l'avez lu ?

Milo opina, sur ses gardes.

— Le spleen, c'est lui qui en parle, non ? Parce que je l'ai, moi, le spleen. Je m'ennuie tout le temps, mais c'est plus que de l'ennui, c'est du blues.

— Profitez-en, ennuyez-vous tant que vous pourrez ! rétorqua aigrement Milo. Parce qu'à mon âge, on ne s'ennuie plus, on s'emmerde !

— Ah ? Vous croyez ? C'est profond ce que vous dites là. Les mots, ce qu'on peut en tirer. Je vais vous l'acheter. C'est combien ?

— C'est écrit dessus, grommela Milo en se traitant intérieurement de pépé-la-morale.

Ça y est, c'est le commencement de la fin, demain tu diras « de mon temps » et tu finiras par « les jeunes d'aujourd'hui » !

— Tu causes tout seul ? (Selim le dévisageait, le visage empreint d'un air d'innocence absolue.) Je voulais juste t'annoncer que je suis monté chez toi ce matin de bonne heure, tu devais sûrement dormir, je n'ai pas osé te déranger, alors finalement j'ai glissé la clé de ton appart' dans ta boîte à lettres. Je récupérerai mes affaires ce soir.

— J'ignore à quelle heure je rentrerai. J'ai une vie privée, figure-toi ! Il fallait prendre ta valise avant de déposer la clé.

— Vu la façon dont tu m'as reçu la dernière fois, j'ai pensé que tu avais un besoin urgent de ton double, surtout maintenant…

— Quoi, surtout maintenant ? rugit Milo

— Cette fille canon chez toi, l'autre soir… Tu m'en veux encore ? Le mieux c'est que tu préviennes Henriette quand je pourrai passer.

— Henriette ? C'est sérieux ?

— C'est ma fiancée, déclara solennellement Selim.

— Tu plaisantes ?

— Dis, Milo, ça me ferait plaisir d'être traité avec un peu de considération. Parfaitement, ma fiancée, tu peux lui demander, je lui ai offert une…

Milo sentit qu'on le tirait par la manche. Il tourna la tête et aussitôt son exaspération s'évanouit comme une bulle de savon. Laura était là, face à lui.

— Bonjour, Milo. Seriez-vous libre ce soir, par hasard ?

Son attitude assurée était presque provocante. Il la regarda fixement, se mit à bégayer, il ne savait comment exprimer les sentiments qui l'agitaient. Les yeux de Laura ne quittaient pas les siens. En lui monta une joie apaisante. Ému, il se pencha et vit la douce rondeur de ses seins dans l'échancrure de son imper.

— Laissez-moi vous présenter quelqu'un de formidable, dit-elle d'un ton enjoué.

Elle pivota, fit un geste d'appel vers une grande fille mince qui s'avança à leur rencontre.

— Betty, voici Milo Jassy dont je t'ai parlé. Milo, Betty Greene, une amie.

En serrant la main tendue il crut avoir déjà vécu cet instant, peut-être parce que l'amie paraissait s'être échappée des pages d'un magazine en vogue censé représenter la femme polyvalente idéale.

— Quel curieux métier que le vôtre, monsieur Milo. Tant d'auteurs tirés de l'oubli ! En quelque sorte vous sauvegardez une vieille tradition. Est-ce rentable ? susurra-t-elle avec affectation.

Il se demanda si elle se fichait de lui. Elle l'observait à la façon d'un stratège examinant le terrain en vue d'une opération d'encerclement. Ses bijoux, son maquillage, sa coiffure impeccable, la ligne sobre de son tailleur semblaient avoir été consciemment étudiés afin de donner l'impression d'une aisance cultivée.

— Betty dirige une galerie d'art. Elle a vendu plusieurs de mes photos à un éditeur pour illustrer un ouvrage d'architecture, *Paris qui s'en va*, expliqua Laura.

— Qui s'en va où ? demanda-t-il.

Il nota la physionomie décontenancée de Laura. Une vague de culpabilité le traversa, il avait lancé cette petite phrase sans réfléchir, pour se montrer spirituel.

— Vous n'appréciez guère ce titre, monsieur Milo, dit Betty Greene. C'est moi qui l'ai choisi et je me trompe rarement. Je crois que pour être compris du grand public, il vaut mieux appeler un chat un chat. Qui aurait pensé que *Blanche-Neige et les Sept Nains* deviendrait un best-seller ?

Les mots coulaient de ses lèvres comme englués de marshmallow, mais il ne l'écoutait plus. Il était conscient de la proximité de Laura, du parfum de ses cheveux, de son souffle.

— ... c'est mon job. *What's the french word for find out ?...* dénicher ? Oui, dénicher de jeunes talents, leur permettre de s'épanouir. Et Laura est bourrée de talent, n'est-elle pas, monsieur Milo ?

Va-t'en, disparais ! ordonna-t-il intérieurement en acquiesçant. Cette femme lui déplaisait.

— Milo, nous avons pensé... j'ai pensé... Betty m'emmène à un cocktail offert par l'éditeur. Je serais vraiment heureuse si vous acceptiez de nous accompagner.

Il fut déçu. En la voyant surgir à l'improviste il avait espéré mieux que des ronds de jambe autour de petits-fours. La promesse qu'il s'était faite de ne rien précipiter lui revint en écho et son désappointement se dissipa.

— *Absolutely !* s'écria Betty Greene. Votre présence est d'autant plus *souhaiteuse*...

— Souhaitable, lui souffla Laura.

— Souhaiteuse, souhaitable : idem, que Robert Ménétrier a le projet de publier une série sur les derniers métiers en plein vent de la capitale. Je

154

compte lui proposer Laura pour les photos consacrées aux bouquinistes.

— Les espèces en voie de disparition intéressent les éditeurs ?

— Ne soyez pas défaitiste, vous me paraissez taillé pour la survie. Nous allons vous attendre à la terrasse d'un café, évitez de nous faire languir.

— Hélas, j'ai bien peur de devoir refuser. Je dois rentrer chez moi nourrir mon chien.

— *A dog ?* C'est gentil à vous d'avoir *a dog !* Téléphonez à votre gardien, il s'en chargera.

— Il n'y a pas de gardien.

— Si ça t'arrange, je peux m'en occuper, moi, de Lemuel, du même coup je prendrai ma valise, proposa Selim qui n'avait rien perdu de la conversation.

— Tu n'as plus de clé !

— Confie-moi la tienne, je la glisserai avec l'autre dans ta boîte à lettres en partant.

— Eh bien voilà, le problème est réglé grâce à ce charmant jeune homme ! s'exclama l'Américaine.

— Minute ! Je ne peux pas y aller comme ça, je dois me changer, vous êtes toutes les deux sur votre trente et un…

— Trente et un, *very funny !* Aucune importance, mon cher, vous êtes à croquer. Alors dans une demi-heure au petit bistrot, là-bas. Viens, Laura, conclut Betty Greene d'un ton sans appel.

— Excusez-la, Milo, elle est insupportable, lui murmura Laura au passage. Rien ne vous oblige à dire oui, il y aura du monde, ce sera probablement une soirée très embêtante, je crains que cela ne vous ennuie.

— Mais non, cela ne m'ennuiera pas, au contraire.

Avait-il laissé deviner sa déconvenue ? Malgré tout, au fond de lui, un espoir demeurait ; après le cocktail il la raccompagnerait. Peut-être, cette fois, l'inviterait-elle à monter…

— Cette clé, tu me la files ?

Milo sortit son trousseau.

— Juste une précision. La lettre que tu as ramassée sous le canapé hier matin, elle se trouvait dans une chaussure ou à côté ?

— Tu m'en demandes trop.

Agacé, Milo assista au baiser du siècle avant que Selim ne s'arrache à l'étreinte de Stella, qui agita longuement la main vers le Pont-Neuf.

— C'est à Henri IV que tu fais tes adieux ?

Pour toute réponse elle lui exhiba son pouce orné d'une grosse alliance.

— Tu as vu ? C'était à son grand-oncle. Elle est belle, non ?

— Magnifique, soupira-t-il.

— Au fait, Milo, je ne t'ai pas donné la solution de ma devinette ! Un moustique, c'est chiant que l'été !

Le taxi les déposa boulevard de Courcelles au pied d'un immeuble flanqué de cariatides. Une femme de chambre en noir et blanc les introduisit dans l'appartement et s'empara de la canadienne. Bien qu'il fût à peine dix-huit heures, les invités se pressaient à travers les dix ou douze pièces qu'ils durent traverser avant de trouver le propriétaire des lieux.

— Gentil petit endroit tranquille, marmonna Milo.

— Je suis de votre avis, murmura Laura, mais c'est l'occasion de se faire des relations.

— Bob ! Comme je suis contente ! *How are you ?* Vous vous souvenez de Laura Forest, bien sûr ?

Robert Ménétrier, corpulent personnage d'une cinquantaine d'années, tendit à un jeune homme timide un paquet de photos qu'il avait à peine regardées.

— Betty ! Laura ! Comment oublier de si séduisantes collaboratrices ?

— Et voici Milo Jassy, un ami.

— Monsieur Jassy, je vous enlève ces charmantes créatures. Allez donc prendre un verre, suggéra Robert Ménétrier.

La mine maussade, Milo les regarda se perdre parmi les hôtes.

— Vous savez où est le bar ? demanda-t-il au jeune homme timide.

— Le problème, c'est qu'on n'arrive jamais à les coincer plus de trois minutes. Vous avez une idée des sujets qui peuvent les intéresser ?

— Faut que ça claque, que ça « speede », et surtout que ça saigne. Merci, mon vieux, je trouverai tout seul.

Les chaussures à moitié enfoncées dans une moquette épaisse, Milo parcourut en sens inverse l'enfilade de pièces emplies de meubles design et de toiles abstraites qui semblaient avoir été accrochées à l'envers. Il renonça à atteindre le buffet pris d'assaut, attrapa au vol une flûte de champagne sur le plateau d'un serveur et se laissa glisser au creux d'un fauteuil. À travers les larges baies vitrées, il apercevait la masse crayeuse du Sacré-Cœur se détachant sur le ciel sombre. Il se demanda pourquoi il était venu se perdre dans ce caravansérail aussi bondé que le métro aux heures de pointe. Résigné, il sirota son champagne à petites gorgées. Cette atmosphère le mettait mal à l'aise, il avait horreur des mondanités.

— Alors mon chou, on ne se morfond pas trop ?

Il leva les yeux. L'amie formidable l'observait.

— Où est la femme qui était à mon bras ? Elle s'appelle Laura.

Elle eut un sourire moqueur.

— On va vous la rendre, mon cher. Tenez, elle a pensé à vous, ce petit tonique vous aidera à prendre votre mal en patience.

Elle remplaça son verre vide par un plein.

Betty Greene lui apparut soudain très humaine, il se dit qu'il l'avait jugée trop vite. Il voulut la remercier, elle s'était éclipsée.

Il avala une lampée de whisky avec satisfaction. Autour de lui, les invités grignotaient, riaient, parlaient fort. Les sons qu'ils émettaient étaient plus étranges qu'un dialogue de film tamoul en VO non sous-titrée.

— … après quoi cet abominable crétin m'a expliqué de long en large comment canaliser le style et l'imagination afin d'en tirer un produit vendable…

— Que pensez-vous des influences du primitivisme sur les formes dramatiques ?

— Je suis un pratiquant de la cyberlittérature.

Brutalement la fatigue s'abattit sur lui. Il n'aurait jamais dû ingurgiter ce mélange d'alcools. Il secoua la tête, le salon ondulait lentement, les pique-assiettes se démultipliaient, pareils aux images d'un kaléidoscope.

— Il me faut une cigarette, grommela-t-il. Où est ma canadienne ?

Il allait reposer son verre quand Robert Ménétrier plaqua une main sur son omoplate.

— Betty m'a tout dit à votre sujet. Votre boulot s'insère parfaitement dans mon projet de collection : des bouquins format poche, photos de jeunes artistes sur ce qui demeure du passé à l'aube du troisième millénaire. Vous me suivez ? Contrastes, résistances, traces, restes...

— Vous trouvez que j'ai de beaux restes ?

— Alors voilà : Laura réalisera un reportage sur vos activités et je choisirai un auteur prometteur pour...

— C'est palpitant, auriez-vous une cigarette ?

— Je vois déjà les jaquettes, souples, brillantes, en noir et rouge, peut-être une touche de gris, et une graphie proche de celle des mangas japonais. Betty a trouvé un titre accrocheur : *Paris 2000, mon amour.*

— Et moi, quel est mon rôle ?

— Vous, vous représentez l'un des derniers bastions de la culture en plein air.

— Vous voulez parler de la culture physique ?

Un attroupement s'était formé autour d'eux. Intrigué. Un type chauve demanda :

— Vous laissez vraiment votre camelote sur le parapet, la nuit ? Et quand il pleut, ça mouille ?

Un moment, Milo fut tenté de quêter dans les rangs. Il se contenta de sourire béatement, ce qui fit murmurer une femme :

— Il est un peu demeuré.

— Jackpot, chère madame ! Je suis le dernier représentant d'une lignée en voie d'extinction, le *Bouquinistuserectus*. Mon insupportable solitude affecte le bon fonctionnement de mes synapses, je vois des cons partout ! Vous n'auriez pas une cigarette ?

Poursuivi par le rire tonitruant de Robert Ménétrier, il se fraya un chemin vers le vestibule. Il avait le front moite, ses paupières s'alourdissaient. Il alla aux toilettes, s'aspergea le visage d'eau froide, mais l'étrange sensation persistait. Ses membres étaient de plomb.

Il récupéra sa canadienne, alluma une cigarette sous le regard d'une brunette drapée d'un sari mauve.

— Quelle veste originale ! Où l'avez-vous achetée ?

Il contempla la maharani à travers les volutes de fumée.

— Elle appartenait à Jacques Cartier qui l'a troquée contre l'arc et les flèches d'un grand chef MicMac, qui lui-même l'a échangée contre la bouteille de whisky d'un trappeur écossais dont l'arrière-arrière-petit-neveu est fripier à Toronto, c'est là que je l'ai dégotée.

Quelqu'un applaudit. Ce n'était pas la maharani.

En voyant Laura, si menue dans sa robe noire décolletée, la chaleur l'envahit.

— Où étiez-vous passée ? Ça fait des heures que je vous attends.

— Bravo, Milo. Excusez-moi, Robert a tenu à me montrer les premières épreuves, le livre est...

— Un roman-fleuve ?

— Je sais, j'ai été longue, mais...

Tout s'embrouillait de nouveau, il avait tellement envie de se laisser aller entre ses bras.

— Laura, voulez-vous...

— Quoi ?

— Vos photos, j'aimerais les voir, ce soir, toutes.

Il quêtait sa réponse, légèrement étourdi.

— Non, Milo, pas ce soir, j'ai besoin de sommeil.

Son refus le retourna, il n'acceptait pas d'être ainsi congédié.

— Très bien, n'en parlons plus. Je peux vous poser une question ? Pourquoi m'avoir traîné ici, vous vouliez m'impressionner ?

— Rappelez-vous, je vous ai déconseillé de me suivre. Vous avez trop bu, venez.

Elle l'entraîna dans une pièce occupée par un lit couvert de vestes et de manteaux. Il la voulut plus proche, elle s'écarta.

— Je dois rentrer, j'ai mon matériel à préparer, je me lève tôt, un reportage en grande banlieue. Betty Greene m'a trouvé un commanditaire, c'est important pour moi.

— Je vois, plus important qu'une soirée en ma compagnie.

— Écoutez, Milo, j'ai choisi ce travail, je l'aime. Il ne me suffit pas de gagner ma vie en débitant des rouleaux de pellicule et en tirant des photos d'amateurs. Si vous ne pouvez l'accepter, alors mieux vaut cesser de nous voir.

La voix de Laura lui parvenait à travers un mur invisible. La chambre à demi obscure s'emplissait de vagues scintillantes. Il vacilla.

— Milo, ça va ?

— Pardon de m'être emporté, murmura-t-il.

— Vous m'en voulez ?

— Non, bien sûr que non.

— Je vous téléphonerai dès mon retour.

Il allait lui dire : « Laissez-moi vous raccompagner », mais sa gorge refusa d'émettre un son. Laura fit un pas en avant, hésita.

— Je crois que je ferais mieux de partir. (Elle alla vers la porte et, sur le seuil, silhouette noire sur fond lumineux, ajouta :) Vous avez l'air épuisé, vous devriez vous allonger un peu avant de rentrer.

Ce furent les dernières paroles qu'il perçut. Il s'affala sur le lit et perdit conscience.

Une vive lueur. Une explosion dans le crâne.

— Debout, mon vieux ! dit quelqu'un en tirant un vêtement coincé sous ses fesses.

Milo eut la vision échevelée d'un double visage penché sur lui.

— Il est quelle heure ? balbutia-t-il.

— Pas loin de minuit. Si vous voulez du café, il en reste à la cuisine.

Brusquement il redevint lucide. Tout son être aspirait à un grand bol d'air frais.

Il marcha lentement jusqu'aux Champs-Élysées.

Pendant le trajet en métro une question martela son esprit. Cinq heures. Comment avait-il pu dormir cinq heures après n'avoir sifflé que deux verres ?

La tête lourde, il cahota de la gare de Lyon à la rue Crémieux où il emboutit une poubelle qui se vengea en lui arrachant un bouton. La minuterie refusa d'éclairer les boîtes à lettres plus de trois secondes, il dut s'y prendre à plusieurs reprises avant de trouver la serrure. Sa main tremblante se referma sur les deux clés pour les lâcher aussitôt. À quatre pattes, il mit un temps fou à les retrouver, glanant par la même occasion une pièce de cinq centimes et quelques moutons.

Il gravit les marches accroché à la rampe, poussa sa porte, alluma le plafonnier. Son regard devint trouble : toutes ses affaires étaient alignées par terre, y compris le contenu du placard où il remisait ses cadeaux de mariage. Il réfléchit. Son intuition lui soufflait que Lemuel était étranger à l'affaire. Puis il entendit le silence, un silence lourd, inhabituel.

— Lemuel ?.... Lemuel !

Un son lui parvint, aigu, pitoyable. Ses pieds se mirent en mouvement, dérapèrent sur des magazines éparpillés, atteignirent la chambre à coucher. L'interrupteur claqua sous ses doigts.

Affalé au pied du lit, Lemuel souleva le haut de son corps avant de retomber avec un bruit mat.

Stupéfait, Milo fixait le chien inerte. Un goût âcre emplit sa bouche, il tomba sur les genoux, ses mains s'emmêlèrent dans les pages jaunes de l'annuaire. Vite, vite, un vétérinaire. Il composa un numéro, pas de réponse, un autre... Soudain, il pensa à Blaise Le Branchu. Luttant contre les larmes, il prit Lemuel dans ses bras, il était plus mou qu'une peluche.

Il dut cogner longtemps du bout de sa chaussure avant d'entendre un pas traînant.

— Qui est là ?

— Moi, monsieur Jassy. Mon chien est malade.

Derrière la chaîne de sécurité se profila un pyjama à rayures.

— Vous savez l'heure qu'il est ?

— Aidez-moi, je vous en prie !

Assis, rigide, à l'extrême bord d'un de ces divans dont on ne s'extirpe qu'au prix de terribles efforts, Milo suivait chacun des gestes de Blaise Le Branchu.

— Il ne va pas mourir, hein ?

Brutalement, tous ses morts assaillaient sa mémoire : sa grand-mère jaune et desséchée sur le drap souillé où elle s'était éteinte après une ultime quinte de toux, son père inconscient à la suite du carambolage qui devait lui coûter la vie, sa mère recroquevillée sur son lit d'hôpital comme si elle avait enfin regagné le ventre maternel. Mais le plus éprouvant de tous ces deuils avait été celui qu'il avait subi à huit ans, quand Malbrough, son chat, était venu agoniser sous son armoire, empoisonné par un voisin.

— Il respire, constata Blaise Le Branchu.

Il souleva les paupières du chien, lui entrouvrit la gueule, renifla.

— C'est curieux, je crois bien qu'on l'a drogué. Oui, anesthésié. Il est dans le même état que Bobby lorsqu'il revient du détartrage.

— Qu'est-ce que je dois faire ?

— Attendre. Tout dépend de la dose qu'il a reçue. Maintenant monsieur Jassy, écoutez un peu : entre nous faut pas vous plaindre, ça aurait pu être pire, je vous avais prévenu, avec ces gens-là…

— Quels gens ?

— Ce jeune Arabe que vous hébergez. Il est venu en fin de journée en compagnie d'une femme, et quand je dis une femme, plutôt une squaw barbouillée de peintures de guerre. Vous avez de la chance qu'elle n'ait pas scalpé votre chien.

Stella, pensa Milo. Stella, Selim. Non, jamais ils n'auraient fait une chose pareille !

Le sang battait à ses oreilles. Son système nerveux mis à l'épreuve se relâchait comme un vieil élastique.

— Un petit sucre avec de la menthe, monsieur Jassy ? Vous êtes tout pâle.

— Non merci. À quelle heure sont-ils passés ?

— La première fois, je les ai croisés dans l'escalier en descendant Bobby. Quand je suis remonté une demi-heure plus tard, j'ai ouvert ma fenêtre pour arroser mes géraniums et je les ai vus qui s'en allaient. L'homme portait une valise. On ne vous a rien volé ?

— Comment ça, la première fois ?

— Ben, ils sont revenus. Le journal télévisé venait de se terminer, j'ai entendu des allées et venues dans votre appartement, j'ai d'abord pensé que vous étiez rentré, et puis je me suis dit que c'était une drôle d'heure pour faire le ménage.

— Le ménage ?

— Des choses qu'on traînait par terre, ou des armoires qu'on vidait, je ne sais pas, enfin des bruits bizarres. Alors j'en ai déduit que c'étaient eux.

Lemuel grogna, ses yeux roulèrent de gauche à droite, il tenta de se relever.

— Le voilà qui émerge, remarqua Blaise Le Branchu. Attends, mon grand, t'es encore groggy, reste tranquille, là, sage.

— Il tremble ! s'écria Milo. Il doit avoir froid.

— Réaction normale. Vous allez le coucher au chaud dans le noir, il va piquer un bon roupillon et demain, il sera frais comme la romaine, je connais ça, allez.

La voix de Blaise Le Branchu était calme et ferme.

— Est-ce que je dois voir un vétérinaire ?

— Oui, pour ses dents, mais surtout évitez la clinique, ils m'ont achevé Touky, la maman de Bobby. Et si je peux me permettre, monsieur Jassy, restez sobre et ne laissez plus entrer n'importe qui. Vous le saviez qu'en Chine ils les mangent, les chiens ?

— Je n'ai pas de Chinois dans mes relations, et je ne bois que du jus de parapluie. Merci infiniment, monsieur Le Branchu, bonne fin de nuit.

Milo déposa délicatement Lemuel au milieu de la couette, passa une main le long de son échine et prononça une courte mais fervente prière dont il ne savait si elle s'adressait à Dieu, aux mânes de sa destinée ou au génie des canidés :

— Je vous en prie, faites qu'il se réveille en pleine forme !

Puis il s'obligea à évaluer les dégâts.

Ses précieux disques vinyle s'entassaient en équilibre précaire sur trois chaises empilées en pyramide au milieu de la table, une bonne partie de ses livres jonchaient la moquette, tous ses vêtements jetés en vrac formaient des tas réguliers à travers la chambre. Quant au duvet de Corinne Levasseur, il veillait sur ce tableau de chasse en achevant de rendre ses entrailles.

Une terrible rage le saisit, moins à cause du saccage que parce qu'un immonde salopard s'en était pris à son chien.

Pour voler quoi ?

Les quelques livres rares en sa possession n'avaient même pas été déplacés de leur rayonnage.

Incapable de se rappeler s'il avait donné un tour de clé avant d'entrer, il alla vérifier l'état de la serrure. Aucune trace d'effraction. Selim aurait-il négligé de refermer la porte ?

La tête vide, il prit une canette de bière dans le frigo et retourna s'échouer au fond du canapé. À moitié somnolent, il contempla le capharnaüm qui l'entourait en songeant qu'il avait dépensé inutilement son énergie à faire des rangements. Il avala une gorgée de bière. Au même instant son attention fut attirée par un objet sombre posé sur l'une des étagères de la bibliothèque. Il lui fallut un temps de réflexion avant de comprendre qu'il s'agissait du buste en terre cuite de Nelly, et que son visage était enveloppé d'un morceau de plastique.

Il déglutit péniblement, la bière glacée lui brûla l'estomac. Les jambes mal assurées, il se traîna dans la chambre à coucher, se doutant de ce qu'il allait y découvrir.

Sur le mur, face au lit, un couteau à découper transperçait l'esquisse au fusain.

10

24 octobre

Milo se débattait pour atteindre le rai de lumière au bout de l'étroit goulet. Ses poumons peinaient, incapables de se remplir d'air. Un râle fusa de sa poitrine, il étouffait.

Des doigts frais et humides effleurèrent sa joue. Il s'accrocha à cette caresse, elle seule l'empêchait de glisser au fond du gouffre.

Respirer.

Il fit un violent effort pour ouvrir les yeux, rencontra le mufle d'une drôle de créature, cessa de résister. L'ombre se referma sur lui. Il lutta de nouveau pour soulever les paupières. Pendant un instant il se contenta d'observer distraitement un couteau à gros manche de bois fiché dans un dessin punaisé au mur. Il eut la curieuse impression que ce dessin lui ressemblait.

Un gémissement modulé. Le jappement d'un chien ?

Lentement, la réalité franchit le seuil de sa conscience. Un chien. Un chien lui léchait le visage.

— C'est toi ? Lemuel, tu me chatouilles, arrête !

Il entendait sa propre voix sans trop savoir ce qu'il disait. Lemuel sauta à terre, piqua un sprint autour du lit et finit par s'asseoir en position de suppliant. Sa queue rythmait un message en morse sur la moquette : « Pipi-j'ai-faim-pipi-j'ai-faim… »

Milo se redressa. Des coups répétés suivis d'une voix lointaine résonnaient douloureusement dans sa tête :

— Monsieur Jassy, tout va bien ?

Il réussit à se lever en prenant appui sur une chaise. Un élancement lui traversa les reins.

— Monsieur Jassy, ouvrez ! C'est moi, votre voisin du dessus !

— La ferme, gueule pas, grogna Milo en se passant une main dans les cheveux.

Il examina ses pieds, constata qu'il portait des chaussettes trouées. Son regard remonta le long de son corps sur un caleçon à losanges et une canadienne. Hébété, il contempla l'entassement d'objets hétéroclites semés à travers la pièce. Brutalement, ses souvenirs se ranimèrent : ce n'était pas une hallucination.

Bien qu'il éprouvât des difficultés à marcher droit, il gagna l'entrée sans heurts et entrebâilla juste assez la porte pour distinguer un bec de parapluie surmonté d'une face de fouine grimaçante.

— Bonjour, monsieur Jassy, je viens aux nouvelles. Le chien est réveillé ?

— Oui, oui, marmotta Milo. L'a l'air au poil.

Un clou s'enfonçait dans ses tempes, ses pensées s'assemblaient comme les morceaux d'un puzzle sans toutefois parvenir à former un tout cohérent.

— Vous, vous avez eu une panne d'oreiller, remarqua Blaise Le Branchu en se démanchant le cou pour apercevoir l'intérieur de l'appartement. Ah, je m'en doutais ! s'écria-t-il, ils ont tout retourné ! Vous allez porter plainte, j'espère.

— Euh… non, non, on ne m'a rien volé. J'en profite, je range, je trie, je change des meubles de place, on accumule tant de vieilleries.

D'où lui venaient cette voix suave, ce ton naturel ?

Blaise Le Branchu fit claquer son dentier.

— C'est mauvais, ça, très mauvais pour la bête. Il a besoin de calme, votre chien, après ce qui lui est arrivé. Voulez-vous que j'en prenne soin jusqu'à la fin du branle-bas ? proposa-t-il tout en accentuant sa pression sur la porte afin d'élargir son champ de vision.

Milo ne bougea pas d'un pouce.

— Vous savez, monsieur Jassy, ce que vous faites, ça peut traumatiser un animal, si je vous disais que…

— Merci, c'est très gentil de votre part, s'empressa de répondre Milo. D'accord, j'accepte, je le reprendrai plus tard.

— Donnez-moi sa laisse, ordonna M. Le Branchu. Viens, Médor. (Appuyé au chambranle, Milo l'entendit grommeler dans l'escalier :) Quand on mène une vie de bâton de chaise, on n'a pas de chien. Mon pauvre Médor, je parie que tu n'as rien mangé.

Médor ! Milo fut sur le point de rappeler Lemuel, la force lui manqua, il referma la porte, inspira profondément, puis se retourna pour faire face au désastre.

Une sensation d'urgence l'étreignait. Tout remettre en place, agir, effacer cette souillure. Il s'efforça de philosopher en entassant ce qu'il faudrait jeter, en sauvant ce qui pouvait l'être. Ce n'étaient que de vieux bouquins, des objets presque sans valeur. Il rachèterait un duvet, retrouverait des vinyles aux Puces. Mais son cœur se serrait à la vue de la photo de sa mère sortie de son cadre, découpée en morceaux.

Ses côtes se soulevaient et s'abaissaient comme des soufflets de forge. Il alla se planter devant le miroir de la salle de bains. Ses yeux étaient rouges et bouffis, des rigoles de sueur maculaient ses joues mangées par une barbe de deux jours. Il s'adressa un faible sourire avant de laisser tomber un cachet effervescent au fond du verre à dents. Tandis qu'il fixait les bulles minuscules, il comprit l'absurdité de sa situation. N'ayant pas un caractère vindicatif, il se demandait comment on pouvait lui en vouloir à ce point. Qui le haïssait ainsi ? Nelly ? Charline Crosse ? Amélie Nogaret ? Les trois à la fois ?

Il demeurait désemparé, face au lavabo, dans une sorte de transe. Trois femmes tissaient autour de lui une toile où chaque jour qui passait l'empêtrait un peu plus. Les faits prouvaient cet acharnement dans la malveillance, mais il ne parvenait pas à les démêler pour leur donner un sens.

Une vengeance ?

Il s'efforça de se secouer, d'échapper à cette idée affreuse. Merde, merde, Nelly, Nelly, qu'attends-tu de moi ? Pourquoi m'avoir livré le nom de l'assassin par ces voies biscornues au lieu de prévenir la police ? Es-tu en danger ?

Sa raison tournait comme une souris folle, il fallait qu'il lui parle, qu'ils s'expliquent. Il composa son numéro. Personne. Le répondeur : muet. La sonnerie résonna longuement dans sa tête bien après qu'il eut raccroché.

Il s'efforça de chasser ses idées morbides, tenta d'ordonner ses pensées. Il possédait plusieurs pièces du puzzle.

Le nom de la meurtrière, Amélie Nogaret.

Celui de sa complice, Charline Crosse.

Un magasin de photo.

Une vieille femme assassinée dans des conditions analogues à celles de Roland.

Si seulement il pouvait établir un lien entre ces deux crimes !

Nom de Dieu ! Il s'adressa une grimace dans la glace. Il tenait son fil conducteur ! Il existait quelque part, dans une forêt inexplorée, un petit chemin qu'il devait suivre.

Bagot ! Fouiller le passé de Bagot !

Les branches s'écartèrent, le chemin était là.

Le journal, on a parlé d'elle dans le journal.

Quand ? Quand ? Une image, une phrase, un mot entendu au milieu d'un cimetière, sur un banc.

Un banc… Liban ! Les otages du Liban ! En quelle année ? Pas d'importance, tu trouveras !

Il avala d'un trait le contenu de son verre à dents tandis qu'un visage aux traits épais de taureau boudeur se dessinait en lui. Donati. C'était l'homme à contacter.

La matinée tirait à sa fin. Laura eut du mal à trouver l'adresse. Il lui fallut traverser une forêt de pylônes, puis se perdre dans les méandres d'un immense chantier hérissé de panneaux :

RÉSIDENCE BÉRYL, LES IRIS
Un havre de paix. Du studio au cinq pièces.
Complexe Jade

Çà et là s'accrochaient quelques pavillons délabrés protégés par des chiens invisibles dont les aboiements tentaient de couvrir le grondement des bétonneuses.

Enfin, non loin d'un canal où de rares péniches venaient décharger leur cargaison de ciment, coincée entre la réplique d'une isba nommée Ma Datcha, et Tara, minuscule bicoque au porche à colonnade, elle dénicha la villa de Karl Parmentier-Schwarzkopf. En se demandant pourquoi Betty tenait à ce qu'elle immortalise la demeure de ce grand globe-trotter et illustre inconnu devant l'éternel, elle enjamba la palissade à demi défoncée.

La construction avait dû être imposante, sinon belle. De ses deux tours d'angle crénelées ne subsistaient que des moignons mangés par une vigne vierge qui envahissait la façade rococo, s'enroulait autour des mosaïques surmontant les fenêtres aux carreaux cassés, recouvrait les volets disjoints. Ailantes, sureaux, chèvrefeuilles et prêles poussaient dru à l'emplacement des pelouses. Au milieu de cette jungle échevelée gisaient quelques offrandes du monde industriel au dieu des terrains vagues : sacs-poubelle éventrés, matelas jaunis, gravats, poutrelles de fer rouillé.

Avançant prudemment, Laura évita de justesse le piège d'une grosse épeire et atteignit le perron auquel menaient cinq marches lézardées. Dès qu'elle eut posé son pied et sa sacoche elle se retourna pour contempler, sous le ciel lourd de pluie, l'armée des grues et, au-delà, les rails sur lesquels courait un train au museau effilé. C'est joyeux. Décor parfait pour le fils naturel de Gabin et de Terminator. Au boulot, plus vite ce sera fini…

Après avoir tiré le portrait de la maison sous plusieurs angles, elle s'aventura dans le couloir humide. Encombrés de plâtras et d'objets mutilés tels que chaises à trois pattes et fauteuils crevés, les lieux semblaient appréciés des squatters, à en juger par les restes de nourriture et les chiffons douteux jetés sur le plancher. Redoutant de se trouver nez à nez avec un hôte indésirable, Laura se hâtait de prendre ses clichés. Elle n'éprouvait aucun plaisir à sa tâche et pressentait que les photos seraient mauvaises. L'anxiété et un certain ressentiment envers Betty entravaient ses mains, ses gestes étaient saccadés, maladroits, elle travaillait trop vite et s'en voulait. Son imagination donnait à la sourde menace contenue dans ces pièces moisies des visages de plus en plus nets. Elle buta contre la forme sombre et dure dressée à l'entrée d'une chambre, poussa un cri. La panique et la douleur se disputaient en elle. Plaquée contre un mur elle grelottait, les yeux rivés à la masse grisâtre dont les contours émergeaient lentement. Son cœur s'apaisa à mesure qu'ils se précisaient : ce n'était qu'un coffre-fort, un de ces absurdes cubes métalliques trop lourds pour être déplacés, abandonné comme une épave une fois vidé de son contenu. Dans sa précipitation, elle s'était heurtée à la porte béante aux arêtes aiguës. Elle se força à sourire, se baissa pour ramasser le pied de l'appareil qui lui avait échappé. Alors qu'elle se redressait, un second choc la terrassa. De nouveau adossée au mur, les yeux clos, elle se courba en gémissant. Désintégrée, la digue dressée depuis dix ans contre sa peur laissait déferler le passé. Bondissant vers elle comme un brise-lames, le coffre-fort du père Léonard ouvrait la voie.

Cette petite boulotte à queue de cheval, en jean et tricot rouge, c'était elle, Laura, treize ans. Elle se souvenait de tout comme si cela s'était passé la veille...

— Fanny, tu triches ! cria Laura. Tu dois compter jusqu'à cinquante.

— Vingt-trois, vingt-quatre, vingt-cinq, ânonnait Fanny, une gamine de huit ans criblée de taches de son.

— Où j'vais m'planquer ? s'affola Bruno, son petit frère.

— Dans le cagibi aux balais, vite, lui souffla Laura.

Bruno traversa la cour au galop.

— Trente-deux, trente-trois, trente-quatre...

Laura escalada une poubelle, enjamba l'étroit vasistas qui donnait sur les W-C du brocanteur, posa un pied sur le rebord crasseux de la cuvette. Elle en avait marre d'être obligée de garder les morveux Dietrich, elle allait se cacher tellement bien qu'ils n'étaient pas près de la trouver. Elle se hâta de sortir des toilettes qui sentaient le pipi, longea un corridor et déboucha dans la boutique obscure. Le père Léonard n'ouvrait son antre que le matin. Les mauvaises langues colportaient qu'il n'avait pas trop de l'après-midi pour cuver son vin. Laura ne l'avait jamais vu ivre, ce dont elle était sûre, c'est qu'à treize heures tapantes, hiver comme été, il baissait le rideau de fer et rentrait chez lui, rue Keller. M. Dietrich était monté plusieurs fois lui livrer des bouteilles de butane, il disait n'avoir jamais vu une porcherie pareille. En tout cas, son local abritait un ramassis de croûtes poussiéreuses, de vaisselle ébréchée, de meubles boiteux, de liasses de magazines et de bouquins empilés façon tour de Pise. Privé de lumière, ce décor devenait inquiétant. Laura chassa de son esprit la vision de Norman Bates, le schizophrène de *Psychose* grimpant les escaliers de sa grande maison déglinguée. Depuis qu'elle avait vu ce film à la télé, elle refusait de prendre des douches.

— Qu'est-ce que tu fiches ici ? C'est interdit. Oh, mais je te reconnais, toi, tu es la fille de la coiffeuse.

La voix, sifflante et agressive, semblait sourdre du néant. Laura sursauta puis, instinctivement, recula. Elle se trouva très vite acculée à une armoire dont la clé lui griffa le dos.

Devant elle jaillit de l'ombre une courte silhouette révélée par la faible clarté issue du bureau. Le brocanteur n'était pas plus grand qu'elle, mais beaucoup plus fort. Il pressa sa face congestionnée contre son visage. Sa bouche, qui sentait l'aigre, effleura ses lèvres, elle sentit des poils rêches sur sa joue, elle se débattit. Mais les pattes de Léonard s'agrippaient à ses bras comme des serres.

— Bouge pas, petite garce. Laisse-toi faire et personne saura rien. Sinon, je dirai que tu es une voleuse, c'est pas ce que tu veux, hein ?

Il avait réussi à emprisonner ses poignets dans une seule de ses mains, et de l'autre relevait fébrilement son T-shirt. Les doigts se posèrent sur sa poitrine en même temps que la voix avinée murmurait des mots répugnants. D'un brusque haut-le-corps, elle releva un genou et frappa. Avec un glapissement l'homme desserra son étreinte. Alors, de toutes ses forces, décuplées par la terreur, elle le repoussa. Il perdit l'équilibre et, battant l'air de ses bras, tomba à la renverse.

Le souffle court, Laura attendait, incapable de bouger. Sans les picotements qui la faisaient parfois tressaillir, elle se serait crue paralysée. Elle réussit à marcher, un pas, un autre, heurta du pied quelque chose de mou. Penchant un peu la tête, elle vit, éclairés de côté par la lueur du bureau, le buste et la figure du père Léonard, recroquevillé au pied d'un coffre-fort. Les cheveux gris, en désordre, tombaient sur les yeux ouverts, la bouche semblait prête à parler, mais, au lieu de sons, ne produisait qu'un mince filament noir. Fascinée, elle s'accroupit, toucha ce pointillé de l'index, le ramena vers elle. C'était du sang. « Il est mort ! martela une voix à ses tympans. Il est mort et c'est toi qui l'as tué ! » Par vagues successives, le tremblement s'empara d'elle. Elle voulut s'enfuir, ses jambes ne lui obéissaient plus. Comme un papillon derrière une vitre, elle se cogna contre des ennemis de bois, de papier, de métal, qui tombaient dans sa course folle. Elle se prit les pieds dans un tapis, s'affala sur un fauteuil crapaud, demeura prostrée, vaincue. Elle resta ainsi plusieurs minutes, à demi consciente, avant de se remettre en mouvement.

Au moment où elle avançait une main hésitante vers un guéridon qui ressemblait à une sorcière bossue, elle perçut un craquement et tourna la tête. La porte du fond venait de s'ouvrir, une ombre démesurée s'étirait au plafond. Elle plongea derrière le fauteuil. Cesser de respirer, disparaître ! Norman Bates approchait à pas feutrés de sa cachette. Laura se vit, un couteau plongé dans le ventre. Elle était à l'intérieur du film. La voix éraillée de Fanny lui fit l'effet d'un coup de feu.

— Laura, sale tricheuse, t'es dans la boutique à Léonard, ce sera dit, je joue plus !

Norman Bates s'était immobilisé. Dans le pinceau lumineux de la porte entrouverte des cabinets elle entrevit ses traits convulsés, ses longs cheveux noirs, son écharpe rouge.

Le hurlement qui sortait de sa propre bouche la ramena à la vie. Tout arriva en même temps : le « merde » étouffé près de son oreille, sa fuite éperdue, sa chute sur une pile de livres, l'objet, coincé sous sa jambe, qu'elle ramassa avant de se ruer dans les W-C et de s'arc-bouter contre la porte. Son cœur cherchait à s'échapper de sa poitrine, elle soufflait aussi fort que la concierge quand elle sortait les poubelles. Elle réussit à fermer le verrou, regarda ce qu'elle tenait dans sa main crispée, une petite boîte transparente contenant une cassette audio. La poignée bougea. Norman Bates était là, tout près, il voulait entrer. Elle entendit sa voix qui chuchotait :

— Ouvre, n'aie pas peur.

Elle grimpa sur la cuvette, s'agrippa au rebord de la lucarne, passa une jambe à l'extérieur. Une pointe de fer qui dépassait du mur s'enfonça dans son bras. La douleur lui fit lâcher prise, elle bascula à terre, la joue sur le pavé de la cour.

Le Temps retrouvé occupait l'angle de la rue des Lombards et de la rue Quincampoix. À peine entré, Milo s'ébroua, trempé. La boutique, qui sentait la pluie et le papier, abritait un nombre incroyable de magazines et de quotidiens. Les murs, couverts de casiers portant chacun un numéro, résumaient l'actualité d'un siècle. Les acheteurs disposaient de deux grandes planches posées sur des tréteaux pour consulter le canard de leur choix. Perché sur un tabouret à côté d'un téléphone et de deux gros classeurs, le propriétaire veillait sur ses trésors. Donati évoquait un bovidé ruminant de placides pensées sous un front bas. Ses yeux enfoncés, sa lippe tombante serrée sur le tuyau d'une pipe donnaient à son visage une apparence assoupie. Pourtant, il valait mieux ne pas s'y fier. Ses colères étaient d'autant plus brutales qu'imprévisibles. Une page tournée un peu trop brusquement, un coin déchiré suffisaient à le faire rugir.

Il aimait bien Milo et l'accueillit avec un retroussis des lèvres qui se voulait un sourire.

— La libération des otages, c'était en 1988. Va dans la réserve, tu connais le chemin, je t'ai sorti *Le Matin de Paris, Libération, Le Monde, France-Soir* et *Le Parisien* de cette année-là. Bon courage.

Milo emprunta un escalier à vis menant à un sous-sol cimenté où Donati entreposait ses commandes. Il vit aussitôt les journaux empilés sur un vieux bureau à cylindre. Il s'attaqua au premier tas et tomba sans peine sur *Le Parisien* daté du jeudi 5 mai 1988, dont le gros titre annonçait : « Enfin libres ! » Il le feuilleta mais ne découvrit aucun article relatif à une gardienne. *Le Matin* du même jour fut tout aussi décevant. L'édition spéciale de midi de *France-Soir* ne contenait rien non plus mais la dernière, qui titrait en énormes caractères : « Libérés ! », fit battre son cœur plus vite. En page quatre s'étalait le fait divers :

UNE CONCIERGE DU 11ᵉ SAUVE
UNE FILLETTE DES GRIFFES
D'UN ASSASSIN

Émilienne Bagot, 64 ans, demeurant cité de la Roquette à Paris, a mis en fuite le meurtrier d'un brocanteur surpris par une fillette de l'immeuble. La victime, Aristide Léonard, a été agressée dans son magasin en plein jour…

Les doigts crispés de Milo serraient le journal. Ainsi Bagot avait vécu à deux pas de la librairie de Roland. Ce voisinage avait-il un rapport avec leur mort ? Il se rappela soudain qui était Léonard : un vieux insignifiant, toujours entre deux verres, incapable de dénicher de bons bouquins. Milo l'avait aperçu une ou deux fois chez Roland, museum de belette piqué sur un corps rabougri. Pourquoi n'ai-je pas entendu parler de ce meurtre à l'époque ? Où étais-je ? Voyons, où étais-tu en mai 1988 ? Marcher l'aidait à réfléchir, il arpenta la cave, le journal roulé à la main. Il avait du mal à se remémorer son passé suivant la chronologie. Je suis dans le brouillard comme… comme pendant ma pneumonie, c'était… oui, presque un an après ma rencontre avec Nelly… au printemps 88 ! Voilà pourquoi il ignorait tout de cet assassinat : il brûlait de fièvre dans un lit d'hôpital. La maladie avait gommé de son existence trois semaines pendant lesquelles il s'était débattu dans une brume épaisse. Puis il y avait eu la convalescence, un mois dans une maison de repos en Savoie. Quand il était revenu à Paris, c'était déjà l'été. Léonard, Roland, Bagot. La concierge connaissait le brocanteur, Roland aussi. Mon vieux, il devient urgent que tu ailles faire un tour du côté de la Bastoche !

Quand il sortit du *Temps retrouvé*, la pluie s'était changée en bruine.

Un écran opaque brouillait le paysage derrière les vitres du train. Comme des dents, les blocs des cités-dortoirs grignotaient l'horizon. Seule dans son coin fenêtre, Laura se recroquevillait sous l'insidieuse reptation de la peur qui s'accrochait à elle depuis qu'elle avait quitté la villa Parmentier-Schwarzkopf. Elle suivit de l'index le trajet d'une goutte de l'autre côté du verre. Un œil immense pleurait sur le monde. Voilà ce qu'elle aurait dû faire : pleurer, pour se libérer. Mais elle ne pouvait pas, de même qu'elle était incapable de résister à cette main qui la ramenait en arrière, vers sa faute…

— Tu l'as vu, hein, Laura, à moi tu peux me le dire. Si je n'avais pas été là… Tu me dois la vie. Ma tête à couper que tu l'as vu, celui qui a tué Léonard. T'inquiète pas, je serai muette comme la tombe, personne ne saura que tu es entrée dans la boutique. On va leur raconter que tu étais allée chercher ton ballon dans les cabinets, tu es ressortie et c'est là que le salaud t'a attaquée. Comme ça, ni vu ni connu, pas d'ennuis, pas d'enquête, et moi… T'auras qu'à raconter la vérité : que je me suis précipitée pour te sauver. Peut-être bien qu'on parlera de moi dans le journal…

La vieille l'avait poussée à débiter des histoires. Quand les policiers l'avaient interrogée, les mensonges étaient tombés de sa bouche en cascade. C'était simple, il suffisait de répéter la version de Bagot. Oui, elle avait vu quelqu'un frapper Léonard. Un homme aux longs cheveux noirs. Avec quoi ? Elle l'ignorait. Oui, la concierge l'avait tirée dehors par la lucarne des toilettes, sans cela l'homme l'aurait tuée elle aussi. Au point où elle en était, un mensonge de plus ne pesait guère dans la balance. Elle se sentait devenir importante, elle était l'héroïne d'un film.

L'article avait paru dans *France-Soir* avec la photo d'Émilienne Bagot, qui vivait enfin son heure de gloire. À partir des renseignements fournis par la fillette et la concierge, la police était parvenue à obtenir le signalement du criminel : un homme mince aux cheveux longs portant une écharpe rouge, et pendant plusieurs jours Norman Bates défraya la chronique.

Laura avait soigneusement omis de mentionner la cassette. Dès son retour à la maison, elle l'avait rangée derrière ses Bibliothèque Rose. Un mois plus tard, au cours d'une absence de sa mère, elle l'écouta, découvrant ainsi les chansons de Cat Stevens. Ces ballades étaient si belles que les associer à Norman Bates semblait insensé.

On ne le retrouva jamais.

Les années s'écoulèrent et Laura ne savait plus où se trouvait la frontière entre fantasme et réalité. Mais Léonard hanta longtemps ses nuits, la bouche sanglante, les yeux grands ouverts sur le vide. Il venait la chercher et, près de lui, se profilait une silhouette aux longs cheveux noirs.

Elle frissonna. Le train filait à travers une ville aussi grise que le ciel. Un quai de gare noyé de pluie refléta un instant quelques voyageurs sans visage. La vitre se couvrit de larmes.

Il était à peine quatre heures. La pluie s'était calmée. Milo aurait encore pu aller au quai mais il souffrait d'une telle migraine qu'il héla un taxi pour rentrer.

Après s'être dopé à l'aspirine, il se força à déblayer l'appartement, fourra au fond d'un cabas le duvet qui risquait une hémorragie totale et descendit jeter deux cartons de livres en loques.

Au moment où il rabattait le couvercle de la poubelle, la porte cochère livra passage à Blaise Le Branchu, flanqué de Lemuel et de Bobby, serrant une baguette sur son cœur.

— Ah, monsieur Le Branchu, je termine à peine mes rangements, mon chien n'a pas causé trop de problèmes au vôtre ?

— Pensez-vous ! Je leur ai imposé une trêve : chacun sa gamelle, chacun son coussin.

Des pas résonnèrent dans les escaliers. Ils s'effacèrent devant une jeune femme vêtue d'un ensemble qui mettait en valeur le galbe de son corps.

— Bonsoir, messieurs, belle soirée, on pourrait se croire au printemps, lança-t-elle avant de sortir.

M. Le Branchu essuya rêveusement ses lunettes.

— Plutôt bien roulée, hein, monsieur Jassy ? chuchota-t-il d'un ton de conspirateur. Si je l'avais croisée dans la rue, je ne l'aurais pas reconnue, je suis tellement habitué à la voir en « bloudjin ». Vous avez remarqué ? Elle s'est fait faire des mèches cuivrées, ça lui donne un petit air canaille, on dirait une autre personne.

— Une autre personne ? répéta Milo stupéfait. Qui est-ce ?

— V'là autre chose ! Mais c'est la maman des braillards du premier, Mme Levasseur. Dites, vous me semblez patraque, vous avez peut-être pris un coup de froid, un rhume ça peut dégénérer en grippe. À votre place je me mettrais au lit avec une décoction de marjolaine, une plante miracle, elle dissipe aussi les fumées de l'ivresse. Si ça vous arrange, je peux garder votre Médor quelques jours, quand il y en a pour un il y en a pour deux.

— Je vais vous donner quelques boîtes de pâtée, alors.

— Non, sans façon, j'aime mieux leur préparer moi-même la tambouille. Les conserves, c'est un truc à les faire tomber raides. Bon, je vous quitte, bientôt l'heure où les chiens vont vaquer à leurs petites affaires. Bonsoir, monsieur Jassy, et suivez mon conseil, une tisane bouillante, une bonne suée et dodo. Ah, j'allais oublier, votre boîte à lettres est ouverte, j'ai l'impression que la serrure est faussée, vous devriez vérifier.

Lemuel s'approcha, un pas, puis deux, tirant sur la laisse maintenue fermement par Blaise Le Branchu. Milo posa une main sur la tête du chien.

— Sage, murmura-t-il.

Lemuel agita la queue, poussa de petits jappements, leva vers lui ses yeux humides. Milo s'avoua vaincu.

— Monsieur Le Branchu, si ça ne vous ennuie pas, j'aimerais un peu de compagnie cette nuit, vous comprenez ?

— C'est pas moi qui vais vous fournir des adresses tout de même !

— Mais non, je vous parle du chien !

— Le chien ?

M. Le Branchu eut une expression scandalisée.

— Je veux mon chien près de moi cette nuit, scanda Milo. C'est pas un crime !

— Faites excuse, tout le monde peut se tromper…

Le téléphone sonna alors que Milo engageait sa clé dans la serrure. Il referma la porte à double tour avant de décrocher. C'était Stella.

— Eh ben, c'est pas dommage ! Ça fait cinq fois que j'appelle ! Selim et moi on était vachement inquiets, c'est dimanche et tu manques ! T'es malade ?

— Non, je ne suis pas malade. À propos Stel… Henriette, quand vous êtes venus nourrir Lemuel hier soir, vous êtes repassés une deuxième fois ?

— Pourquoi ? Y a un lézard ? Il a fait pipi, c'est ça ? Je le savais ! On a oublié de le promener, je m'en suis aperçue dans l'métro, j'ai voulu retourner mais on n'avait plus de clé. C'est con, t'es fâché ?

— Mais non, ce n'est rien.

— T'as une drôle de voix, toute petite, on dirait une communiante. Milo, t'as des ennuis ?

— Non, je me suis accordé une journée de liberté, voilà tout.

— Un dimanche ?

— Oui, un dimanche d'amour, si tu préfères ! s'exclama-t-il à court d'imagination.

— Ah, l'amour ! Alors ça change tout. Tu rates rien, y a que des fouille-merde, il leur faut un conseil de famille pour acheter de la drouille à dix balles.

Un double hurlement suraigu éclata soudain. Les jumeaux Levasseur exigeaient leur pitance.

— Allô, Milo, c'est ton clébard qui gueule comme ça ?

— Oui, ça urge. Je te quitte, merci d'avoir appelé.

Il reposa le récepteur d'un coup sec.

Il était là, assis sur le lit, l'ombre envahissait imperceptiblement la chambre. Il tendit une main vers la lampe de chevet, fit aller et venir l'interrupteur sous son doigt, de plus en plus vite. Les battements de son cœur s'accéléraient au rythme des pulsations lumineuses.

« Une autre personne », avait dit Le Branchu.

Une autre Corinne Levasseur qui aurait troqué son sempiternel jean délavé contre une tenue sexy et une teinture auburn !

Il sursauta violemment. Les accents martiaux du prélude de *L'Arlésienne* se déversaient dans la cage d'escalier, traversaient les cloisons, explosaient à ses oreilles.

Il laissa retomber sa main, la lumière orangée de la lampe chassa la pénombre, son esprit enregistra la présence d'une bouteille de cognac sous une chaise. Il se pencha, hypnotisé par la silhouette de Napoléon Ier se découpant sur l'étiquette. Une phrase s'échappa de ses lèvres : « Soldats, c'est le soleil d'Austerlitz ! »

Ses paumes devinrent moites sous le coup d'une excitation fiévreuse.

Des mèches cuivrées... Corinne Levasseur, une autre femme... *L'Arlésienne* !

La rousse Amélie Nogaret jouait les Arlésiennes ! Existait-elle vraiment ? Ou bien n'était-elle qu'un rôle interprété par une autre ? Le port d'un certain type de vêtements, l'emploi de cosmétiques, la couleur, la coupe des cheveux peuvent transformer n'importe qui et susciter chez autrui le respect, la moquerie, le désir ou la répulsion.

Il n'avait entrevu la rouquine qu'une seule fois sur le quai. Ses propos incohérents, sa tignasse flamboyante s'étaient gravés dans sa mémoire mais il ne gardait aucun souvenir de ses traits. C'était comme si elle s'était ingéniée à focaliser son attention sur des détails marquants. Quant à Charline Crosse, il eût été incapable d'en tracer un portrait-robot. Il ne retenait d'elle qu'une paire de grosses lunettes, un ciré rouge, un foulard plaqué sur le crâne et une voix chuintante teintée de vulgarité.

La rouquine, Charline Crosse, la même femme ? Qui ?

Son angoisse s'amplifia. Cette découverte intervenant à l'issue de deux journées éprouvantes le prenait totalement au dépourvu, son cerveau refusait de l'aider.

Il s'allongea, les mains sous la tête, et fouilla son passé à la recherche d'un préjudice ou d'une blessure qu'il aurait pu infliger à quelqu'un. Il passa en revue ses années de lycée, le grand vide sinistre de son service militaire, son arrivée à Paris, ses premières amours, son boulot de famine au rayon soldes d'une grande papeterie : rien.

Il se laissa dériver. Il vit clairement l'inanité de ses efforts à vouloir mener la vie de monsieur Tout-le-monde. Au bout du compte ses choix débouchaient toujours sur la solitude.

Il éprouva l'envie folle de parler à Laura. Elle avait promis de l'appeler dès son retour. Dans l'attente de ce coup de fil hypothétique, il ne tenait plus en place, jamais il n'avait ressenti un tel énervement. Il se leva, alla au frigo, sortit un morceau de saucisson, un reste de camembert, et mangea debout, penché sur la paillasse de l'évier, buvant à même une boîte de bière en relisant l'article consacré à l'acte héroïque d'Émilienne Bagot.

Demain il irait cité de la Roquette. Il fallait en finir une bonne fois pour toutes.

Il laissa les peaux transparentes du saucisson sur un coin de l'évier et retourna s'asseoir dans sa chambre, les yeux rivés au téléphone, comme si de cet appareil dépendait son bonheur.

Plantée sur le paillasson du cinquième palier, Laura attendait, consciente d'être surveillée à travers l'œilleton. Elle se débarrassa de sa sacoche, posa le pied de son appareil et déchiffra les lettres tarabiscotées de la carte de visite punaisée sous la sonnette.

LADY PRISCILLA PARMENTIER-
SCHWARZKOPF
Géographe botaniste
Diplômée de la Faculté de Holzkirchen

À tes souhaits, pensa-t-elle.

— Identifiez-vous, gronda une voix enrouée.

— Bonjour, je suis Laura Forest, Betty Greene m'envoie pour les prises de vues.

— Vous êtes en retard, nous avions prévu dix-sept heures trente.

— Désolée, je suis venue directement de la villa, impossible d'avoir un taxi, j'ai pris le métro.

— Vous avez les photos ?

— Je dois d'abord les développer et les tirer !

— C'est bon, entrez. Essuyez vos pieds. Ne faites pas attention, j'ai mon masque.

Laura se trouva nez à nez avec la plus étrange créature qu'elle eût jamais vue. Très voûtée, appuyée sur une canne, le visage plâtré d'une boue verdâtre s'égouttant sur un châle enroulé autour du cou, son hôtesse n'avait de vivant que les yeux. Encadrant cette face grenue, une abondante chevelure grise retombait en longues anglaises entortillées de papier toilette rose en papillotes. Son corps disparaissait sous plusieurs couches de vêtements pouvant avoir appartenu à un épouvantail ou à une cocotte fin de siècle. Une ample jaquette à ramages enfilée par-dessus un corsage à jabot s'évasait sur une robe longue flottant sur trois ou quatre jupons multicolores.

— Vous avez tous vos appareils avec vous, là, dans cette sacoche ? interrogea Lady Priscilla d'un ton dubitatif.

Laura acquiesça.

— Et pour l'éclairage ?

— Je travaille au flash.

— J'aurais cru qu'un photographe professionnel utilisait un matériel autrement sophistiqué.

— Ne vous inquiétez pas, je connais mon métier.

— J'espère, bougonna Lady Priscilla en reniflant d'un air pincé. Voyez-vous, cet appartement va être vendu. Ce sera l'aube de mon déclin. Quarante-cinq ans de ma vie contenus entre ces murs, tant de souvenirs, feu mon cher époux, ses voyages, ses découvertes... Ses conférences, c'est ici qu'il les rédigeait. Et ce havre d'érudition va partir en fumée par la faute d'un bon à rien qui se trouve être mon fils.

Elle marqua une pause en s'efforçant de fixer son regard papillotant sur une gouache représentant un homme moustachu debout face à l'océan.

— C'est lui, c'est Ludwig au bord de la Baltique, peint par un ami symboliste. Depuis, il s'est empâté. C'est curieux, ne trouvez-vous pas ? Gonfler à mesure qu'on se ruine ! Et pourtant c'est la vérité. Plus un sou ! Ratissé à la roulette dans tous les casinos d'Europe ! Tellement bourré de dettes qu'il en est devenu obèse. Et à qui s'adresse-t-on quand on est dans la débine ? À sa vieille maman dont on ne s'est jamais soucié, à qui l'on n'a jamais envoyé une seule carte postale et dont on attend impatiemment le trépas pour phagocyter l'héritage.

Lady Priscilla s'assit sur un voltaire dans l'attitude d'une madone éplorée. Partagée entre l'amusement et la pitié, Laura ébaucha un geste et laissa retomber son bras. En finir, vite, et partir.

— Peut-être ne devriez-vous pas vendre, il existe d'autres solutions, suggéra-t-elle.

— Pour voir mon enfant jeté en prison ? siffla Lady Priscilla en relevant vivement son faciès de crapaud. Pour que le nom de mon époux soit fustigé par les médias ? Que son œuvre grandiose devienne la risée des foules ? Vous travaillez du chapeau, ma petite !

Laura étouffa un soupir d'exaspération en se demandant laquelle des deux était la plus déjantée. La tâche s'avérait moins facile qu'elle ne l'avait envisagé, elle consulta discrètement sa montre.

— Attrapez le sherry, là, sur la commode et servez-nous, ordonna brusquement Lady Priscilla.

Laura se tourna et vit sur un plateau une carafe de cristal entourée de petits verres à pied. Avec un soupir elle versa deux doses de liquide rouge.

— À la vôtre, lança Lady Priscilla en levant son verre. (Elle le porta à ses lèvres, fit une grimace, le reposa.) J'oublie toujours que je ne dois pas boire après mon médicament. Mais ne vous gênez pas pour moi, allez-y.

Par politesse, Laura avala une gorgée d'alcool, trop sec à son goût.

— Donc, l'appartement vendu, les dettes épongées, qu'il se débrouille, enchaîna Lady Priscilla. J'irai attendre la mort dans ma propriété de Collonges-la-Rouge. Mais auparavant, je tiens à immortaliser ce décor afin d'en faire don au musée de la ville natale de feu Karl Parmentier-Schwarzkopf : Holzkirchen. Il vous faut photographier chaque pièce sous tous les angles afin que les visiteurs se sentent investis de l'esprit de ce lieu et entrent en communication avec Karl. Sans vouloir vous vexer, vous me paraissez bien jeune, vous avez suivi un enseignement spécial ?

— J'ai travaillé au service du bertillonnage de la préfecture de police, rien ne m'échappe.

— Ah, je vois, alors commençons par le jardin d'hiver. Karl nourrissait une passion pour les serres, celle-ci est d'un genre assez particulier. Aucune fenêtre, seulement des spots, vous n'aurez pas besoin de vos flashs, prenez juste votre pied et un appareil, il faut absolument éviter de toucher à mes dionées gobeuses, elles sont ultrasensibles à toute présence étrangère. Et surtout ne chassez pas les mouches, c'est leur repas de la semaine.

La porte fut ouverte et refermée très vite, le temps pour les deux femmes de pénétrer dans un coin de forêt tropicale habitée de vrombissements.

— Voilà, dit Lady Priscilla, je vous laisse, je dois ôter mon masque.

En un éclair, avant que la porte ne soit close, Laura entrevit le portrait de Ludwig Parmentier-Schwarzkopf au bord de la Baltique. Elle posa le pied de son appareil sur une latte du parquet qui grinça juste assez fort pour couvrir le bruit d'une clé tournée dans la serrure.

11

25 octobre

Dans la pièce obscure, une lampe de chevet veillait sur une table basse. Seul le tempo d'un réveil rompait le silence. Au moment où la grande aiguille atteignait le 12 et la petite le 4, la sonnerie se déclencha, aussitôt coupée par une main jaillie de l'ombre.

Blottie au creux d'un canapé de cuir, la fille au baladeur contemplait l'arc lumineux peint au plafond par le halo de l'abat-jour. Elle se redressa et d'un doigt lissa ses sourcils, fascinée par la composition de couleurs accrochée au mur opposé. La toile abstraite déclinait le bleu, le noir, le rouge jusqu'à donner l'illusion d'un corps figé en plein mouvement.

— *Mea rouia*, rouge sang, murmura-t-elle.

Elle se leva brusquement, traversa un corridor, poussa une porte. La chambre était meublée d'un fauteuil pivotant et d'un spacieux bureau sur lequel trônait un ordinateur.

La fille au baladeur s'immobilisa devant une vitrine laquée où un petit bouddha côtoyait deux tanagras esquissant un pas de danse. Elle se pencha vers l'étagère inférieure. Près d'un gros fragment de grenat, emprisonnée dans un cadre argenté, une jeune femme souriait. La fille au baladeur tressaillit. La photo la dévisageait, l'éclat de gemme d'un profond rouge sombre semblait s'animer d'une vie propre. La fille au baladeur recula, son talon heurta un objet dur. Une Underwood, survivante d'une époque révolue, était posée à même le sol sur un tapis brodé.

La fille au baladeur souleva la vieille machine à écrire et l'installa à la place du clavier de l'ordinateur. Elle inséra une feuille vierge dans le chariot puis, d'un index hésitant, appuya sur les touches.

« MILO,
Je t'en supplie, aide-moi, j'ai peur. Je t'attends rue... »

Lorsqu'elle eut terminé, elle se relut et glissa la lettre dans son sac. Elle gagna l'entrée de l'appartement, coinça un ticket de métro entre la serrure et le pêne de la porte, referma doucement. Elle fit demi-tour, et se dirigea vers la cuisine dont l'une des issues ouvrait sur un escalier de service. Elle alluma une torche électrique avant de dévaler les six étages.

Au rez-de-chaussée, elle enfonça un bonnet de laine sur sa tête, puis, d'un coup sec, ôta ses gants de latex et les enfouit au fond de sa poche.

Il faisait encore nuit.

L'air vif la fit frissonner, elle marcha rapidement à la recherche d'une station de taxis, son sac serré contre sa poitrine.

À l'arrière du véhicule fonçant le long des rues désertes, elle exultait. Je l'ai fait, Marijo, je l'ai fait. Plus que deux.

Elle régla le montant de sa course à la hauteur de la gare de Lyon.

Milo s'éveilla en sursaut. Il était tout habillé. Un coup d'œil à sa montre : 8 h 10.

Laura n'avait pas appelé.

Sa désillusion était bien plus vive qu'il n'aurait pu l'imaginer. À présent, aucun doute, elle ne ressentait rien pour lui. « Tu tires des conclusions trop hâtives, elle a peut-être eu un pépin... » objecta sa petite voix sans parvenir à le rassurer. Il demeura immobile, la tête complètement vide, décrocha le combiné. Le répondeur débita son message. Il refit trois fois le numéro de Laura, simplement pour entendre sa voix.

Lemuel posa une patte sur sa cuisse. Il le repoussa gentiment et se leva. Dans l'entrée, sur le plancher, près de la porte, une tache de couleur attira son attention. Il éprouva un choc en ramassant une enveloppe bleue. Il déplia la feuille glissée à l'intérieur.

« MILO,

Je t'en supplie, aide-moi, j'ai peur. Je t'attends rue Visconti demain lundi 25 octobre à dix-huit heures précises, j'ai des choses importantes à te révéler concernant Roland. Je compte sur toi, tu es mon seul espoir. La porte d'entrée sera ouverte, tu n'auras qu'à la pousser.

Tendresses.

Nelly. »

L'enveloppe lui échappa des mains. Le 25, c'était aujourd'hui. Il se précipita sur le téléphone.

— Vous êtes bien chez les Bannister, nous sommes absents, laissez-nous...

Comme en rêve, il vit passer Lemuel, l'enveloppe entre les dents. Il retint son souffle, rencontra le regard du chien qui lâcha aussitôt son trophée dans l'une des chaussures semées sur la moquette avant de s'aplatir, la tête entre les pattes.

— Oh, mon Dieu, Lemuel ! murmura Milo.

Si Nelly n'avait pas déposé la première enveloppe, alors ?....

Il avait peur de comprendre.

Ce fut le chien qui l'arracha à sa stupeur en poussant de petits gémissements plaintifs.

Dix-huit heures, rue Visconti. J'ai largement le temps d'aller fouiner cité de la Roquette.

Son cerveau retrouvait sa lucidité à la perspective d'une tâche à accomplir. Il se chaussa, enfila sa canadienne.

— Désolé, Lemuel, je ne peux pas t'emmener, je ne veux pas non plus te laisser seul. Allez, viens mon vieux, c'est la dernière fois, promis.

À peine sur le palier, Lemuel, résigné, monta de lui-même chez Blaise Le Branchu.

La rue de la Roquette s'étirait le long d'un parcours sinueux.

Tout a changé, pensa Milo. Les murs ont perdu leur patine, les odeurs sont différentes.

Cela faisait bien quatre ou cinq ans qu'il n'était pas revenu dans le coin. Les sushis avaient détrôné le couscous, les panini menaçaient d'engloutir dans leur chair blanchâtre la croûte dorée des baguettes, le quartier subissait un lifting en règle. Pourtant, quelques îlots peuplés d'artisans, de retraités, d'immigrés résistaient encore à la poussée sournoise des « Résidence Gavroche » et des « Clos Louis-Philippe ».

Milo marchait sans se hâter, observant, notant. Des immeubles décrépis aux fenêtres murées, une boutique de styliste, un tabac, une boucherie chevaline transformée en galerie d'art, une mercerie obscure. Sur une façade, « DUBO DUBON DUBONNET » affleurait comme un message venu de très loin. En lui s'éveilla le désir d'un voyage par-delà le temps, sa mémoire se peupla d'impressions douces-amères : son travail chez Roland... sa rencontre avec Marijo... À l'époque il fuyait sa solitude dans les salles obscures, s'identifiait aux héros d'un monde en deux dimensions. Après le mot « Fin », il s'offrait un sandwich à la terrasse d'un troquet du boulevard Saint-Michel. Il avait fini par remarquer une fille toujours assise à la même table. Un jour elle lui avait lancé d'un ton gouailleur : « *Je pense que si vous pensez à ce que je pense que vous pensez, nous ne sommes pas loin de nous comprendre !* Ce n'est pas de moi, c'est de Jeanson, le dialoguiste de films. Je vous ai souvent vu au Champo, vous êtes un accro de ciné. Vous faites quoi comme boulot ? Moi je prends des cours de théâtre, je m'appelle Marijo. »

Elle était aguichante, disponible. Il était seul depuis longtemps. Ensemble ils goûtèrent d'agréables moments. Mais après une nuit avec elle il se sentait vide, un peu déprimé. Plus leur liaison se prolongeait, plus il devenait irritable, mécontent de lui-même. Le plaisir des sens ne lui suffisait pas. Trop honnête pour dissimuler, il lui fit part de son malaise. Elle le dévisagea d'un air meurtri. Très vite cette expression disparut pour céder la place à son drôle de petit sourire habituel. Elle lui dit qu'il n'y avait rien de mal à faire ce dont on a envie, mais que s'il ne voulait plus, tant pis. L'attitude désinvolte de Marijo apaisa sa conscience. Pourquoi se tourmenter puisqu'elle considérait leur idylle comme une aventure ? Il ne put cependant s'empêcher de ressentir un certain dépit à l'idée qu'elle accepte si aisément leur séparation.

Un choc violent à l'épaule le ramena au présent. Maudissant le camion garé sur le trottoir il s'aperçut que ses pieds l'avaient mené devant la librairie de Roland. Saisi d'une crainte irrationnelle, il s'élança au milieu des voitures pour se réfugier à l'abri du premier bistrot.

Les yeux braqués sur le comptoir de stuc cerclé de faux cuivre, il s'efforçait de contrôler son rythme cardiaque.

Ça suffit, s'ordonna-t-il, tout ça c'est du passé. Marijo a disparu, Roland est mort, Nelly t'a plaqué, il faut voir les choses en face. Nelly ! Il plongea la main dans sa poche. Tâta le mot du bout des doigts. Elle avait besoin de lui, elle l'appelait au secours. Dix-huit heures. Elle avait écrit dix-huit heures précises. Un regard sur sa montre : encore deux heures d'attente.

Il releva la tête. De l'autre côté de la chaussée, non loin du rideau couvert de tags de la librairie, un nouveau commerce, *Au Fil de l'onde*, occupait le rez-de-chaussée d'une bâtisse délabrée ornée de palmettes et de mascarons. Il se demanda comment un magasin d'articles de pêche était venu s'échouer ici. Son regard glissa sur une inscription en partie effacée, au-dessus du porche, se déporta vers la rue du Commandant-Lamy, fit marche arrière, déchiffra :

C F URE OUR MES

Très loin au fond de lui un faible signal émit une petite étincelle.

La serveuse déposa sa consommation tout en conversant avec un vieux Vietnamien en salopette.

— Faut être optimiste, monsieur Jean, s'il fait doux, tant mieux.

— Oui, mais les oignons ont beaucoup de peaux cette année, c'est signe de froid, objecta le vieil homme.

Cédant à une impulsion, Milo demanda :

— Pardon, là, juste en face, il y avait un salon de coiffure ?

La serveuse s'esclaffa.

— En voilà une question ! Vous savez, moi, je ne suis pas archéologue. Interrogez M. Jean, il habite le secteur depuis 1930, seulement faut parler fort, il est dur de la feuille.

— Monsieur, s'égosilla Milo, c'était bien un salon de coiffure en face ?

— J'y vais jamais chez le coiffeur, c'est ma fille qui me les coupe, les cheveux, parce qu'elle travaille dans l'esthétique. Hein, qu'elle me les coupe bien, Jessica ?

— Super, brailla la serveuse en décochant un clin d'œil à Milo.

— Excusez-moi, avez-vous connu une Mme Bagot ? s'époumona Milo. Elle était concierge cité de la Roquette dans les années quatre-vingt.

— Non, merci, jamais de vin, répondit M. Jean, je ne bois que de l'eau qui pique avec un peu de grenadine. C'est bon, ça, la grenadine.

— Je vous avais prévenu ! s'exclama la serveuse. De toute façon, il ne sait pas tout, le pauvre, ça fait une paye que sa fille prend soin de lui, il a un petit vélo dans la tête. Moi, je connais mal le quartier, j'ai commencé ici cet été, je suis à l'essai, mais tous les espoirs sont permis, conclut-elle en réajustant son T-shirt sur son opulente poitrine.

Milo jeta quelques pièces sur le comptoir.

— Tant pis, je me renseignerai ailleurs.

— Attendez, ne partez pas si vite ! Il y aurait bien quelqu'un, le facteur.

— Le facteur ?

— Il a distribué le courrier pendant plus de vingt ans, un vrai annuaire ambulant, il est au courant de tout sur tout le monde, même qu'il a été interviewé par Radio-Nostalgie, c'est pour dire. Le seul ennui, c'est qu'une fois parti y a plus moyen de l'arrêter. Il habite à côté. S'il n'y a pas d'autres clients après le départ du vieux, je vous montre...

Milo avisa sa bouche humide, ses yeux bruns lascifs rivés sur les siens.

— C'est vraiment très aimable, seulement je suis pressé, demain peut-être, si vous voulez me donner son adresse.

— 24, rue des Taillandiers, murmura-t-elle à regret. Son nom c'est Dietrich, quatrième étage. J'ai son code quelque part.

Elle remua des papiers près de la caisse et lui tendit une page de carnet.

— Je vous l'ai noté là. Et j'ai mis aussi le numéro de téléphone du café, vous demandez Jessica, Jessica c'est moi. Alors à demain ? susurra-t-elle au moment où il franchissait le seuil.

Ben mon vieux, tu les tombes toutes, tu vas finir par donner raison à Le Branchu, songea-t-il en s'engageant dans la première rue sur sa droite.

Il n'eut pas à aller loin. Sur le trottoir opposé, le n° 24 dressait sa façade de brique rose dotée du gaz à tous les étages ainsi que l'indiquait une plaque émaillée surmontant la porte à digicode.

— Si c'est pour une enquête, alors… dit Marcel Dietrich en introduisant Milo dans une salle à manger pseudo-Empire.

Une sensation d'étouffement renforcée par l'odeur de renfermé le prit à la gorge.

Marcel Dietrich, un petit homme dont le visage pointu au long nez rappelait celui de Voltaire, repoussa sur la toile cirée une assiette de pommes sautées.

— Ça va comme ça, à mon âge il faut savoir se limiter, la pente est savonneuse et l'huile n'arrange rien, même si j'en mets peu dans la poêle. Vous êtes journaliste ?

— Moi ?… Oui, souffla Milo, le palais parcouru de picotements. Je prépare un article sur la physionomie du quartier avant et après la construction de l'Opéra, les choses ont dû changer…

— Vous voulez dire que ça n'a plus aucun rapport ! Ici, c'étaient des ouvriers qui vivaient, des vrais de vrais ! Tout le monde se connaissait, les gens n'avaient pas le sou mais ils s'amusaient, l'opéra, il était dans la rue. Si je vous disais que sur la place de la Bastille on voyait des briseurs de chaînes, et des chanteurs aux terrasses des cafés. Pas besoin d'aller payer trois cents balles pour écouter des divas ! Je me souviens d'une femme du tonnerre, j'ai oublié son nom, elle savait le répertoire de Piaf sur le bout des doigts et quand j'étais gamin j'allais l'entendre le samedi soir. Ma mère m'engueulait parce qu'elle avait peur des petites frappes qui sortaient du *Balajo*, et puis aussi parce que cette goualeuse elle avait mauvais genre, elle s'habillait en homme, notez que maintenant on est rodés mais à l'époque…

Milo fut pris d'une quinte de toux salvatrice. Marcel Dietrich ouvrit le buffet.

— Un verre de quinquina, ça vous ravigotera.

— Non, sans façon. En venant chez vous j'ai remarqué des traces d'inscriptions sur les murs…

— Ah, parlons-en, un désastre. Il n'y a plus de respect. Il y a un type qui signe Saïd et qui laisse des messages partout !

— Je ne pensais pas aux tags, mais aux vieux commerces. Par exemple, là se trouve *Au Fil de l'onde*, il devait y avoir un coiffeur dans le temps. Vous l'avez connu ?

— Pas un coiffeur, une coiffeuse, Ginette. Si je l'ai connue ? Et comment ! Elle faisait les permanentes de ma pauvre femme. Elle occupait le logement juste au-dessous, on a vu grandir sa gamine. Et puis un matin, le destin l'a frappée, elle est morte en pleine rue, infarctus. Je me demande ce que sa môme est devenue, elle n'a jamais donné de nouvelles. Notez que ça n'a rien d'étonnant, elle était du genre renfermé, le contraire de Mme Forest, elle devait tenir du père, un inconnu qui…

Le cœur de Milo fit un tel soubresaut qu'il manqua défaillir. L'espace d'un instant il perdit contact avec la réalité. Quand il reprit pied, Marcel Dietrich était toujours lancé.

— … un joli petit appartement que j'aurais volontiers offert à mon aînée mais les proprios étaient trop gourmands, pensez, vingt mille balles le mètre carré, à ce prix-là c'est tout juste si je pourrais racheter ma propre cuisine.

— Quel était le prénom de la fille de la coiffeuse ? demanda Milo d'une voix sans timbre.

— Attendez… Paula… Lola… Laura, oui, Laura ! Elle a été salement traumatisée… Vous avez deux minutes ? Le mieux, c'est que je vous emmène sur les lieux, le temps d'enfiler des savates...

La silhouette de Marcel Dietrich s'estompa. Milo distinguait derrière cette forme sombre et imprécise une autre personne, Laura. Une voix résonna en lui avec tant de force qu'il dut prendre appui sur la table pour ne pas perdre l'équilibre. « Je vivais boulevard Richard-Lenoir... Pour moi la rue de la Roquette était *terra incognita*... »

Une vibration bourdonna sous son crâne, pareille aux ailes frémissantes d'un oiseau prisonnier. Un nom surgit des limbes où il le cherchait depuis plusieurs jours : Keller. Bien qu'il connût la réponse, il balbutia :

— La rue Keller, c'est loin d'ici ?

— À deux pas, lança Marcel Dietrich en ouvrant la porte.

— Il y a une école ?

— Oui. J'y suis allé jusqu'au certificat d'études. Attention, tenez la rampe, ça glisse.

Milo naviguait dans un monde irréel, le visage de Laura flottait au-dessus des marches, il lisait sur ses lèvres : « J'ai passé mon enfance entre l'école de la rue Keller et des sèche-cheveux. »

Elle était là, devant lui, douce et sincère, cette hypocrite.

Il aborda le trottoir, entendit une voix excitée :

— ... et elle a assisté au meurtre en direct, cette pauvre gosse, ça explique bien des choses, dit le facteur en désignant un restaurant jouxtant l'immeuble. Avant, c'était la boutique d'Aristide Léonard, un brocanteur.

Milo se frotta les tempes du bout des doigts pour en atténuer les palpitations.

— Ah, je vois votre regard qui s'allume, les journalistes, dès qu'on leur parle d'un crime ils sont en transe ! Ce n'est pas vraiment une critique, mais moi qui passe un certain temps devant la télé – parce qu'à mon âge on ne bouge plus beaucoup et ça change les idées – eh bien, je peux vous l'affirmer : le sexe et le sang, je sature, c'est vrai, ça, pour un peu on croirait qu'il n'y a rien d'autre dans la vie. Pour en revenir au meurtre, on n'a jamais compris le mobile, parce qu'on ne lui a rien volé à Léonard. Son assassin court toujours. Remarquez, il n'attirait guère la sympathie, une vraie tête de lard, et en plus il picolait. Ça ne l'empêchait pas d'avoir une clientèle vu qu'il achetait de tout, du toc et du très bon. Il entassait sa marchandise à la va comme je te pousse, un vrai grenier, son local, moi-même j'y ai dégoté un service à café en Limoges pour une bouchée de pain, jusqu'au jour où quelqu'un lui a fait passer l'arme à gauche et a failli estourbir la petite Laura. Elle devait avoir douze ou treize ans, elle jouait à cache-cache avec les enfants de ma fille, elle s'était planquée dans le magasin du vieux. Le pire, c'est que l'assassin l'a vue. Sans l'intervention de la bignole elle y passait aussi. Venez, je vais vous montrer.

— La concierge, quel est son nom ?

— Bagot, elle a pris sa retraite. Un dragon, non, deux dragons, elle avait une chienne, Tosca, un berger allemand qui gueulait à tout bout de champ. Moi, en tant que postier, les chiens...

Livide, Milo fixait Marcel Dietrich. Il avait très froid tout à coup. Il se laissa guider vers la cour du 24.

— À l'époque, dans le journal, ils ont fait une bourde, ils ont dit que ça se passait cité de la

Roquette, c'est la Bagot qui a dû les embrouiller parce que c'était la rue où avaient vécu ses parents. Vous voyez cette petite fenêtre ? Autrefois il n'y avait pas de barreaux, c'est par là que Laura est entrée chez le vieux. Quand elle s'est enfuie, elle s'est accroché le bras à un clou, et en tombant elle s'est assommée. Quelle histoire ! La gamine était terrorisée, elle racontait n'importe quoi : « C'est moi, c'est moi, il est mort, je l'ai poussé. » Tiens, j'ai du courrier.

Le corps glacé, Milo le vit ouvrir une boîte à lettres, en tirer une enveloppe, l'approcher de ses yeux.

— Encore un billet doux du percepteur. S'il pouvait m'oublier, celui-là.

Une cloche annonça cinq heures. Marcel Dietrich jeta un coup d'œil à sa montre.

— Oh, je m'excuse, va falloir que je vous laisse, j'ai ma partie de rami au club du troisième âge. Si vous voulez on peut se revoir, je vous raconterai d'autres histoires. Au fait, c'est pour quel canard ?

— *L'Écho des Savanes*, marmonna Milo.

— Ah ? Je ne lis jamais les revues géographiques, ça doit être intéressant.

Milo avançait comme un automate, un mal empoisonné se répandait en lui.

Elle t'a menti dès le début. Elle connaît Bagot. Tout a été programmé à ton insu, votre rencontre, sa façon subtile de te séduire en jouant les prudes, son air ingénu, tout.

Il s'expliquait enfin cette angoisse qui pesait sur lui depuis leur premier rendez-vous. Son amour naissant, son désir d'elle avaient conspiré et endormi sa méfiance. Mais le doute avait subsisté.

La vue d'une monumentale église de béton verdâtre bouchant le ciel accentua sa détresse. Il aurait voulu insulter Laura, la frapper.

Aussi rapidement qu'il avait surgi, son trop-plein de colère fit place à l'indulgence.

Bonté divine, cesse de t'ériger en procureur. Elle t'a menti, d'accord, elle veut probablement occulter une sale expérience, est-ce un crime ? Douze ans, elle avait douze ans !

Rasséréné, presque convaincu, il atteignit la rue de la Roquette. Dans le jour déclinant, Laura lui apparut telle la Méduse menaçant de le pétrifier. Il pleuvait de nouveau. Il s'abrita sous l'auvent d'une boutique et comprit qu'il était revenu à son point de départ. *Au Fil de l'onde* ne proposait ni mouches ni cannes à pêche. De l'autre côté de la vitre s'alignaient des Reflex superhétorodyne, des Sonora « clear as a belle », des Pathé, des Ducretet, des Ténor, autant de T.S.F. obsolètes régnant jadis sur les salons, les salles à manger, les cuisines, et que l'on ne pouvait déplacer qu'en s'y mettant à deux.

Il contempla les phonographes à pavillon, les pick-up, les pochettes de disques 78 tours, les boîtes d'aiguilles de phono. Il se rappela avec émotion le poste de radio auquel sa mère tenait tant et que pour rien au monde elle n'eût échangé contre un appareil plus moderne. Le couvercle soulevé, on découvrait un tourne-disque au plateau de velours rouge. Longtemps Mme Jassy n'avait eu à sa disposition que quelques microsillons dont les rengaines démodées avaient bercé la jeunesse de Milo. L'une d'elles hantait encore sa mémoire, distillée par la voix guimauve de Georges Guétary :

— *On m'appelle Robin des Bois / Je m'en vais par les champs et les bois / Et je chante ma joie par-dessus les toits !* se surprit-il à fredonner en se traitant d'imbécile.

Cette scie lui avait valu un tas de problèmes à l'école de la part de ses condisciples adonnés aux Beatles et aux Rolling Stones.

Il allait poursuivre son chemin quand son attention fut attirée par une affichette publicitaire :

LES GRANDS SUCCÈS DU MUSIC-HALL,
CATALOGUE ILLUSTRÉ SUR DEMANDE
Quand un facteur s'envole et toutes les chansons
de Charles Trenet
Grand Prix du disque de l'Académie Charles Cros

Un chuchotement dans sa tête répéta ce nom. « Charles Cros, Charles Cros. »

Son front s'inclina vers l'avant, heurta la vitre froide.

— Charline Crosse, parvint-il à articuler.

Au ralenti, Marcel Dietrich tirait une enveloppe de sa boîte à lettres. Pourquoi se souvenir d'un détail aussi insignifiant ?

Laura !

Le murmure s'amplifiait : « Charline Crosse-Laura, Charline Crosse-Laura… »

Laura ! Elle avait entendu sa conversation avec Selim sur le quai, elle l'avait vu lui remettre sa clé. La boîte à lettres !

Non, non, je me trompe !

Un fol espoir l'envahit pour se dissoudre presque aussitôt. Le cocktail. Il avait dormi cinq heures pendant ce foutu cocktail, un laps de temps largement suffisant pour qu'on dévaste son appartement en toute tranquillité.

« Tenez, de sa part, un petit tonique. »

Le whisky !

206

Laura, Laura, mais pourquoi ?

Le monde entier était devenu hostile. Pour la première fois, Milo eut peur.

Elle était embusquée depuis un bon moment sous le porche d'un immeuble 1900. La nuit et la pluie s'alliaient pour changer la rue Visconti en un de ces no man's land de conte où tout peut arriver. Et justement, il arrivait, celui qu'elle attendait. Vêtu de sa canadienne, le héros s'avançait vers sa destinée. La fille au baladeur sourit. Va, cours, vole, mon cher Milo, ta ponctualité t'honore, Marijo me l'avait bien dit, tu es toujours exact aux rendez-vous.

Elle le vit pianoter sur le digicode et pénétrer dans l'immeuble. Elle se prépara à le suivre.

Afin d'épargner son souffle, Milo grimpa les six étages d'un pas régulier, se ménageant des pauses à chaque palier. Devant la porte de l'appartement, il resta un moment immobile, puis d'une légère pression ouvrit. Il y avait de la lumière. Il appela discrètement :

— Nelly ? Tu es là ? C'est moi, Milo.

Dans le salon, la tache rouge du Poliakoff semblait un œil rivé sur lui.

La fille au baladeur sortit de l'ascenseur au cinquième étage. Elle monta deux à deux les marches jusqu'au sixième, et en un tournemain boucla à double tour la porte des Bannister, avant de dévaler l'escalier, les doigts serrés sur la clé. Il passera par l'entrée de service, je ne le raterai pas.

Milo parcourait le long couloir. Le téléphone sonna, la voix de Nelly annonça : « Vous êtes bien chez les Bannister, nous sommes absents, laissez-nous un message. » Il entendit quelques mesures guillerettes, suivies d'un bip, puis silence.

Par une porte entrouverte il aperçut ce qu'il prit d'abord pour une plaisanterie : le combiné du téléphone sur une table de nuit, un vaste lit, une femme allongée nue sur une courtepointe.

— Nelly ?

Il fit quelques pas, poussa un cri étouffé. Prisonnière d'un sac de plastique transparent, la tête aux traits violacés paraissait avoir été posée par erreur sur un corps sagement étendu, les bras plaqués au torse, les jambes serrées l'une contre l'autre. À plat sur sa poitrine, deux Série Noire cartonnés, *Je t'attends au tournant*, de Charles Williams, et *La Femme à abattre*, de James Eastwood, encadraient un Jules Verne de la collection illustrée Hetzel, *Sans dessus dessous*. Ce dernier ouvrage portait plusieurs estafilades. Bien que son esprit lui hurlât « non ! », Milo souleva légèrement le Charles Williams pour révéler la béance d'où avait coulé le sang, colorant d'une énorme fleur écarlate le couvre-lit pâle. Il rejeta le livre, contempla stupidement ses doigts maculés, sentit la nausée lui retourner l'estomac. Il n'eut que le temps de courir dans la salle de bains. Prostré au-dessus de l'évier, il resta un long moment incapable de maîtriser les hoquets qui le secouaient. Peut-être allait-il mourir, se retourner comme un gant, rendre ses boyaux et son âme pour oublier à jamais l'image de Nelly tailladée à vif. Les spasmes diminuèrent. Il se redressa, chancelant, entrevit dans la glace le reflet d'un homme hagard, vieilli. Sous le robinet tourné à fond, il se frotta violemment les mains. Emplissant d'eau le verre à dents, il but goulûment. Il tremblait tant qu'il renversa la moitié du liquide. Puis il se força à revenir dans la chambre. Le visage détourné du lit, il ouvrit une armoire, y attrapa au hasard un long vêtement gris, sans doute un manteau d'homme, et le jeta vite sur le corps. Une sonnerie retentit. « Vous êtes bien chez les Bannister... » La voix de Nelly !

Il recula pas à pas, terrifié, fixant le téléphone qui se muait en un être maléfique, petite bête noire ramassée sur elle-même avant l'attaque. Il dut se faire violence pour tourner les talons, atteignit le vestibule en s'appuyant aux murs. Impossible d'ouvrir. Il s'acharna sur la poignée jusqu'à se meurtrir la main. Paniqué, il lâcha prise et traversa l'appartement à la recherche d'une autre issue. Il étouffait, les poumons bloqués, la sueur coulait le long de son visage et pourtant il claquait des dents. Une sorte de torpeur gelait son esprit, assourdi par une voix aiguë. Il se souvint d'un oiseau qui, un jour, était entré dans sa chambre pour aller, affolé, s'écraser contre une glace. Si seulement cette plainte s'arrêtait. Qui pouvait gémir ainsi ? Ce n'est qu'en tirant brutalement la porte au fond de la cuisine qu'il en fut délivré et comprit que c'était sa voix.

Il se rua dans l'escalier sans enclencher la minuterie, manqua plusieurs fois tomber, se jeta dans un couloir qui menait à une cour. Là, devant, une échappée s'offrait à lui.

Un escalier de pierre faiblement éclairé par le reflet d'un lampadaire plongeait dans un bain d'encre. Il hésita, se revit au bord d'un blockhaus, aspira une longue goulée d'air et s'élança, bras tendus. Une fois dans la cave, il distingua, grâce à un soupirail, ce qui l'entourait, c'est-à-dire peu de chose : un tas de charbon et un placard déglingué. Il tira l'un des battants, se heurta à un amoncellement de seaux, de pelles, de balais, et se laissa tomber sur un amas de serpillières. À bout de forces, recroquevillé sur lui-même, il luttait pour calmer son cœur et son souffle. Il ferma les yeux, s'obligea à contempler une plage, jaune, douce, immense, léchée par la mer, si bleue, si belle, la mer sur laquelle il allait fuir.

Qu'est-ce qu'il fabriquait ? Il aurait dû sortir depuis longtemps. Elle était pourtant certaine d'avoir entendu une course précipitée dans l'escalier. Elle composa de nouveau le code et s'engagea prudemment dans l'entrée. Quelques pas lui suffirent pour apercevoir la porte entrebâillée de la cave.

L'imbécile ! Il croit pouvoir s'échapper en jouant les cloportes !

Elle vit la petite veilleuse orange, pointa le doigt vers elle.

On prétend que les rats craignent la lumière…

La mer se souleva en une gerbe d'étincelles, un soleil enflammé roula sur la plage. Aveuglé, Milo se mordit la lèvre pour ne pas crier, s'empêtra dans les balais qui l'assaillaient de tous côtés, parvint à s'extraire du placard et, les chevilles agressées par une balayette, s'affala dans la poussière. L'odeur le prit à la gorge, ça sentait le moisi et la pourriture… Sortir de ce trou !

La fille au baladeur n'eut que le temps de regagner la rue et de bondir sous son porche. Déjà, il était là, tâtonnant dans un tunnel qui allait s'élargissant, se transformait en une rue étroite bordée de vieux immeubles.

Il grelottait. Où aller ? Une pensée se frayait un passage. Ils la trouveront. Ils trouveront aussi mes empreintes. Ils diront que c'est moi. Personne ne me croira.

Rentrer chez lui ? Avaler un somnifère, dormir... Non. L'hôtel ? Il se sentait incapable de se prendre en charge. Il remit un peu d'ordre dans ses vêtements, se passa les doigts dans les cheveux. La glace d'une pharmacie lui renvoya l'image d'un visage maculé. Il s'essuya avec son mouchoir.

À l'orée d'une petite place il s'écroula sur un banc. Il n'aspirait qu'à se plonger dans un bain brûlant. Devant une fontaine, deux SDF tentaient de s'abriter de la pluie sous un toit de carton qu'ils tenaient dressé au-dessus de leurs têtes.

— Tu veux que je te dise, grogna une voix de femme, on ferait mieux de dormir dans le Forum.

— Tu sais bien que j'aime pas, répondit son compagnon, c'est plein de camés. Faut aller quai de la Gare, on trouvera le tunnel, Jeff nous hébergera, il a de vieux sommiers.

Milo releva le col de sa canadienne. Dénicher un refuge. Il fit rapidement le tour de ses relations, ce n'était pas brillant. Il ne trouva qu'une seule personne pour lui venir en aide. Il repartit vers un carrefour brillamment éclairé et s'engouffra dans le métro.

Ah, c'est comme ça, tu me forces à improviser... Qu'à cela ne tienne, je suis de taille, Marijo m'a donné suffisamment de leçons, je jouerai la pièce sans l'avoir préparée !

La fille au baladeur rejeta la tête en arrière pour se laisser gifler par la pluie. Elle riait.

Il descendit à République. Quand la fille au baladeur comprit où il l'emmenait, elle ne put s'empêcher d'être surprise.

Eh bien, Milo, est-ce le désespoir qui te pousse ? Vas-tu faire un ultime plongeon ? Ou veux-tu répertorier les écluses ?

Il n'avançait pas vite, s'arrêta deux fois pour demander son chemin à un passant, indifférent à la pluie qui redoublait. De temps en temps il consultait un carnet tiré de sa poche.

— Où va-t-il à la fin ? marmonna la fille au baladeur, exaspérée par l'eau qui trempait ses chaussures.

Lovée entre le canal Saint-Martin et l'hôpital Bichat, la rue Marie-et-Louise s'insérait dans un quartier calme. Planté devant un immeuble, Milo jeta un dernier coup d'œil à son calepin et entra, sans remarquer la silhouette féminine qui l'observait du trottoir opposé.

Situé au-dessus du *Bistrot des Oies*, le logement de Stella étirait sur toute la façade trois chambres de bonnes reliées entre elles, cuisine américaine à un bout, salle de bains à l'autre. Quand Milo sonna, Selim s'apprêtait à verser des œufs battus dans une poêle où rissolaient déjà des lardons. Il se dirigea vers la porte avec un « voilà ! » sonore et regarda par l'œilleton.

— Ça par exemple ! s'écria-t-il en ouvrant brusquement. C'est toi ? Mais qu'est-ce qui t'arrive ? T'en fais une tête, t'es blanc comme un linge !

Appuyé contre le chambranle, épuisé après de multiples atermoiements dont il venait de triompher en pressant le bouton, Milo était sur le point de défaillir. Ses pensées étaient engluées dans une toile d'araignée, il ne pouvait articuler deux mots, ses mains tremblaient. L'entourant d'un bras ferme, Selim le conduisit dans la pièce centrale, à petits pas, comme un vieillard, et le poussa dans un canapé tendu de reps rose en criant plusieurs fois :

— Henriette ! (Puis il murmura :) Elle a dû redescendre acheter du pain. Bouge pas, elle ne va pas tarder.

La fille au baladeur avait du mal à maîtriser son impatience. Improviser n'était pas si facile. Elle vit arriver une femme blonde bien en chair juchée sur des talons qui lui donnaient une démarche acrobatique. Elle reconnut la voisine de Milo sur le quai. La blonde abritait deux baguettes sous son ciré noir et se hâta d'entrer dans l'immeuble.

C'est donc ça, pensa la fille au baladeur. Le petit toutou à sa maman est venu demander aide et assistance à la grosse caniche. Bon, ça devient presque trop simple.

Plaquée sous l'auvent du café, elle griffonna un mot sur une page arrachée à un répertoire, exhuma une dernière enveloppe. Heureusement, il n'y avait pas de code, elle n'eut aucune peine à atteindre les boîtes à lettres, repérer celle qui portait le nom de Bol, y déposer la lettre.

Elle s'en alla, emplie d'une gaieté telle qu'elle aurait pu danser. Elle était la plus forte, rien, pas même les changements de dernière minute opérés par le hasard, ne saurait l'abattre. Tu vois, Marijo, une fois de plus je retombe sur mes pieds. Il est vingt et une heures, mais c'est comme s'il faisait déjà jour, c'est comme si demain était là. La pièce est jouée.

Milo redressa lentement la tête. Ses yeux se posèrent sur un couple s'embrassant passionnément sur fond d'incendie. De part et d'autre de l'affiche étaient épinglées sur deux panneaux de liège une dizaine de photos d'un gentleman blond au faciès chevalin.

J'hallucine, se dit Milo. Leslie Howard dans le rôle de… comment s'appelle-t-il déjà ?

Vingt-cinq ans plus tôt, il avait vu le film avec sa mère lors d'une reprise au Quartier latin. Affligée d'un rhume, Mme Jassy ne cessait de s'éponger le nez et les yeux, et les regards en coin de son fils ne parvenaient pas à deviner si derrière toute cette eau perçait un peu d'émotion. Pour sa part, il avait détesté aussi cordialement la dure Scarlett que la bêlante Mélanie. Quant à ce pantin désossé… Ashley, oui, Ashley Wilkes, il l'avait jugé franchement ridicule. Et c'était lui, et non le mâle Rhett Butler, que Stella avait élu numéro un au hit-parade de ses fantasmes ! *Autant en emporte le vent*…

Il se leva et chercha à voir où se cachait son hôtesse, revenue quelques instants plus tôt en porteuse de pain. S'était-elle noyée dans la baignoire ? Sur le seuil de ce qui devait être la chambre nuptiale, il contempla le lit blanc à baldaquin sur lequel s'étalait une poupée de foire en robe de gitane, la coiffeuse surmontée d'un miroir ovale, la lampe à l'abat-jour mauve orné de festons. Il vacillait sous le coup d'une chaleur fébrile. Sur la couverture en piqué ivoire, il croyait voir le corps sanglant de Nelly, tandis que Selim, vêtu d'un uniforme de soldat gris, s'arc-boutait dans un coin de la pièce pour serrer le corset de Stella – une Stella en jupons enlaçant de ses bras dodus un des montants du lit. Il avait les paupières lourdes, douloureuses. Un nom idiot lui martelait le crâne, Gettysburg, Gettysburg… Quand la porte du fond s'ouvrit et que, dans un halo de vapeur, apparut Stella drapée dans un peignoir pistache, il fut pris d'un fou rire qui le plia en deux.

Secoué par les hoquets, il s'affaissa sur la moquette et, à genoux, se mit à pleurer.

— Selim, lâche tes fourneaux et viens, Milo s'trouve mal ! brailla Stella.

— C'est une crise de nerfs, diagnostiqua Selim d'un ton doctoral. Je t'avais dit qu'il n'était pas dans son assiette. Au lieu de prendre un bain…

— Tu vas pas m'faire un fromage pour une malheureuse douche, quand même ? Moi, après l'quai, faut que j'me détende !

— Ce dont il a besoin, c'est d'un remontant.

— Ben… c'est qu'j'ai qu'du Ricard…

— C'est mieux que rien. Aide-moi à l'allonger.

— Ouais, mais d'abord ôtes-y ses godasses, y va m'salir le dessus d'lit.

— Tu débloques ! Après, voyons, siffla Selim.

D'un air offensé, Stella se pencha pour prendre Milo d'un côté. Non sans mal, ils parvinrent à l'étendre.

— Le Ricard, j'y mets des glaçons ? demanda-t-elle hargneusement. Selim, ça sent le brûlé !

— Merde, mes lardons !

Milo tombait dans un puits de ténèbres qui se creusait au milieu du matelas. Il devait à tout prix s'accrocher à quelque chose, bloquer sa chute, sinon il allait ressortir là-bas, dans la chambre à l'odeur fade, emplie du sang de Nelly.

— Milo, Milo, tu m'entends ? Remonte un peu, je vais caler l'oreiller, là, c'est bien. Tu me reconnais ?

Mais pourquoi est-il brun, cet idiot ? Ashley est blond. Et où est son cheval ?

À l'image de Selim se substitua celle d'un cavalier héroïque galopant avec fureur vers un champ de bataille mais, bizarrement, en route, la silhouette élancée se tassa sur sa selle et Harpo Marx, brandissant des ciseaux géants, fonça vers Milo, qui perdit connaissance.

— Drelin, drelin, v'là les premiers s'cours ! lança Stella qui s'avança, un verre de pastis à la main.

— Tu perds ton temps, il est dans les pommes, constata Selim. Le mieux, c'est d'attendre qu'il émerge.

— Tu crois pas qu'y faudrait l'ranimer avec d'l'eau froide ? Ou appeler un toubib ?

— Regarde, il dort, il a l'air calme. Allons dîner, on verra après.

Ils mangèrent l'omelette trop cuite en s'interrogeant sur ce qui avait pu mettre Milo dans un tel état. Ils en vinrent à la conclusion qu'une histoire de cœur pouvait être responsable de cette crise. Stella se souvint de la jeune femme venue chercher son voisin au quai.

— Même qu'elle s'est repointée et que toi aussi tu l'as vue, elle était avec une greluche qu'avait un parapluie dans l'derrière et qui parlait comme si elle mâchait un chewinggum.

— Je me rappelle, dit Selim, songeur. Mais tu sais, il y en a une autre, parce que le soir où j'avais voulu récupérer ma valise, il était au lit avec une très jolie brune.

— Ben mon colon, ça m'en bouche un coin ! J'aurais jamais cru qu'il avait une double vie. Il est toujours si sérieux, plongé dans ses bouquins. Comme quoi faut pas s'fier aux apparences. Sacré Milo, va !

Son visage prit une expression rêveuse tandis qu'un sourire étirait ses lèvres.

— Il ne t'a pas draguée, au moins ? demanda Selim soudain alarmé.

— Non, jamais, enfin y m'a rendu service, y a pas si longtemps, y m'a récupéré des tournesols sur émail, p'têt'sa façon à lui d'm'offrir des fleurs ; il est du genre timide, y voulait m'faire comprendre qu'il…

Elle laissa sa phrase en suspens, oubliant par la même occasion de reposer sa fourchette avec laquelle elle traçait des cercles dans l'air.

— P'têt'qu'il est trop *cervébral* pour se déclarer…

— On dit cérébral, la coupa sèchement Selim.

— Tu vas pas m'apprendre à causer, non ? C'est cervébral ! cria Stella.

— Regarde dans le dictionnaire, si tu ne me crois pas.

Plutôt que d'avouer l'absence d'un tel outil dans son appartement qui, pour toute bibliothèque, ne contenait qu'une exhaustive collection de romans à l'eau de rose, elle préféra bouder, bras croisés, bouche cousue. La résistance de Selim fut de courte durée et un baiser prolongé scellait la fin de cette brouille quand un gémissement parvint de la chambre à coucher.

— Milo ! s'écrièrent-ils ensemble.

À demi dressé dans le lit, il les contemplait d'un regard terrifié.

— Il faut… appeler… un médecin, bégaya-t-il. Peut-être qu'elle n'est pas… C'est affreux, nous sommes faits de sang enveloppé de peau, un simple trou et tout se vide comme… ces poupées emplies de son. On devrait pouvoir tout remettre en place, recoudre, et ça repartirait…

— Il délire, chuchota Stella. Je vais lui préparer un calmant. Occupe-toi de lui.

Depuis qu'il avait perdu connaissance lors d'une prise de sang, Selim évitait soigneusement toute allusion à ce sujet. Aussi s'efforça-t-il, sans trop s'approcher du lit, d'orienter Milo sur d'autres rails.

— Mon pote Diego a rencontré un type qui a ses entrées dans un château, ils vont vendre la bibliothèque. Je lui ai parlé de toi, bien sûr. Ça te botterait de...

— Ce n'est pas moi ! La femme de ménage ne vient que demain, ils ne sont pas encore sur ma piste... Oui, mais qui a refermé la porte ? Il faut que je retourne là-bas pour tout effacer, seulement je n'ai pas la clé !

— Qui c'est qui va boire cette bonne flotte où qu'j'ai mis un tout petit médicament ? Allez, Milo, avale, c'est pour ta santé.

— Le docteur... tu l'as eu ?

— Bien sûr, mon poulet, et il a prescrit un gros dodo, comme ça demain tu péteras le feu !

Il se laissait faire comme un enfant. Avec un sentiment de paix intense, il absorba tout le breuvage, la tête soutenue par la main de Stella, puis s'allongea de nouveau. Il redevenait le petit malade soigné avec tendresse et fermeté par une mère attentive. Il voulut embrasser Mme Jassy mais déjà il somnolait.

— J'y ai donné double dose, y va pioncer des heures !

— Ce n'est pas dangereux au moins ?

— Penses-tu ! J'ai pris les mêmes pendant ma dépression, alors...

— Quelle dépression ?

— Quand mon frère s'est tué dans un accident d'bagnole, avec sa femme et ses gosses, y a trois...

218

Incapable de poursuivre, elle s'effondra sur le lit, secouée par de gros sanglots. Affolé, Selim la regardait pleurer sans oser bouger.

— Tu veux un cachet, toi aussi ?

— Pas la peine… ça ira ! mugit-elle en se laissant aller contre lui.

Il en oublia de lui demander si elle appelait souvent Milo « mon poulet ».

12

26 octobre

Selim partit de bonne heure rejoindre Diego sur la ligne 4. Stella paressa dans le canapé-lit jusqu'à neuf heures, après être allée constater que Milo dormait d'un sommeil paisible. Elle se prélassa dans un bain moussant, puis pédala un quart d'heure sur son vélo d'appartement avant de déjeuner, affamée. Elle descendit ensuite faire des courses – baguette, croissants, oranges, ainsi que quelques canettes de bière – et, chargée de son cabas, ouvrit au passage sa boîte à lettres. Il n'y avait qu'une enveloppe bleue non affranchie sur laquelle était écrit « À l'attention de Milo Jassy ». Elle la tourna et la retourna entre ses doigts, dévorée de curiosité. Il a donc prévenu quelqu'un qu'il venait chez moi ? C'est drôle, il avait pas l'air d'avoir prévu ça, justement, de débarquer à l'improviste. Y a du louche.

Le plateau débordait de victuailles. En plus des croissants, du jus d'orange et des tartines beurrées, il y avait une tranche de jambon, un reste de museau vinaigrette, une soucoupe emplie de noisettes, un morceau d'édam. Stella trouva encore le moyen de coincer une tasse de café noir, du sucre et un petit vase contenant une rose en plastique. Elle avait enfilé sa tenue Annie du Far West et c'est sur le générique d'*Autant en emporte le vent* diffusé par une radio-cassette poussée à fond qu'elle s'avança vers Milo émergeant à peine de la mélasse. Il crut qu'il rêvait encore.

— Bonjour, missié ! Bien dormi ? Mamma Henriette vous apporte un gros miam-miam. Allez, appuie-toi sur les deux oreillers et renverse pas tout, Milo, c'est des draps en lin, ça favorise le sommeil mais c'est dur à nettoyer !

— C'est donc pour ça qu'ils sont si rêches, grogna-t-il.

Il avait la langue pâteuse et sa tête tournait un peu. Stella le regarda avec satisfaction tremper d'une main molle la pointe d'un croissant dans la tasse.

— Ah, pendant que j'y pense, t'as du courrier. T'as dit à un copain que tu venais crécher ici ?

Il voulut ouvrir l'enveloppe avec le doigt mais elle la lui arracha des mains.

— Voyez-vous, ce gros cochon ! On prend un couteau !

D'un coup sec elle fendit la lettre, sur laquelle la lame laissa une trace de beurre. Milo lut sans comprendre les quelques lignes. Les mots penchés dansaient la gigue. Il dut s'y reprendre à trois fois avant d'assimiler le message. Il repoussa brusquement le plateau, renversant à moitié le jus d'orange.

— Eh, t'es fou ! T'as d'la veine, y a rien sur les draps. Mais où tu vas ?

Ébahie, elle le vit tituber jusqu'au fauteuil où elle avait soigneusement plié ses affaires. C'était la première fois qu'elle admirait son voisin de quai en slip, et son cœur battit nettement plus vite en découvrant son anatomie mince et nerveuse. Merde, alors, y ressemble un peu à Ashley !

— J'ai un rendez-vous urgent, grommela Milo, les mains emmêlées dans les fermetures de ses vêtements.

— Fais gaffe, tu boutonnes lundi avec mardi. Tu peux pas y aller comme ça. Coiffe-toi, au moins, t'as des épis, et puis ta braguette est ouverte, tes lacets, attache-les, attends, j'vais t'aider. Y manque deux boutons à ta canadienne. Tu vas pas faire une bêtise, au moins ? Où tu vas ? Réponds, nom d'un chien !

Tout en parlant et en tirant sur un pan de chemise ou un bas de pantalon, elle le suivit jusqu'à la porte, qu'elle tenta de lui barrer. Il la repoussa, doucement mais suffisamment fort pour la bousculer. Il a des biscoteaux, mine de rien ! Elle se pencha sur la rampe.

— Milo ! Reviens ! T'es pas en état de marche !

Le cœur serré elle rentra chez elle. Jamais elle n'aurait dû le laisser partir. Si seulement Selim avait été là ! C'est alors qu'elle avisa la lettre tombée devant le lit. Elle se baissa pour la ramasser et lut : « J'ai d'importantes révélations à vous faire concernant Laura. Je vous attendrai toute la journée à l'adresse suivante. Venez le plus vite possible. »

C'était signé Betty Greene, un « e » de trop pour Stella qui articula : Graine.

— C'est tout près d'ici. J'ai qu'à prendre le métro à République, ce s'ra direct. Allez, bouge ton cul, Henriette, y a pas une minute à perdre !

Dans le hall de la station Saint-Sébastien-Froissart, Milo consulta le plan mural du quartier. « De l'autre côté du boulevard des Filles-du-Calvaire, après la rue Saint-Claude, numéro 17, numéro 17 », se répétait-il en escaladant la bouche de métro. Sa canadienne déboutonnée lui battait les flancs, sa chemise s'échappait du pantalon qui lui tombait sur les fesses.

Il leva les yeux vers la plaque : rue du Pont-aux-Choux. Ce nom évoqua une soupière fumante puis un copain de régiment, Martin Poté. Ses pieds s'immobilisèrent entre un magasin d'objets exotiques, *La Fiancée du Mékong*, et *Chez Larbi*, un couscous.

C'est là, juste en face.

Il pénétra sous un porche et suivit du doigt la liste des locataires.

Escalier C, cinquième droite.

Il traversa une cour pavée, longea un vieil atelier de chaudronnerie pour accéder à l'escalier C à demi caché par un acacia. Soudain une voix affolée lui souffla : « Eh, minute, qui lui a dit que tu passais la nuit chez Stella ? Comment a-t-elle su ? »

Il s'adossa au mur, prit une profonde inspiration, s'efforçant de recouvrer son calme.

« Et maintenant, qu'est-ce que tu vas faire ? »

Il restait là, secoué d'un halètement rauque tandis que l'image de Nelly s'imprimait dans son cerveau. Il la regardait sur le lit, son visage violacé et le sac plastique serré autour de son cou. Il voyait la blessure rouge, les Série Noire sur ses seins.

Je t'attends au tournant... Qui ? Qui m'attend ? Laura ?

Un ouvrier sortit de la chaudronnerie en sifflotant et lui adressa un petit signe au passage.

Fiche le camp, Milo, vite, va-t'en !

Arrivé au cinquième, il trouva le nom de Betty Greene ajouté au marqueur en marge d'une carte de visite fixée sous l'œilleton.

LADY PRISCILLA PARMENTIER-SCHWARZKOPF
BETTY GREENE
Géographe botaniste
Diplômée de la Faculté de Holzkirchen

La porte s'ouvrit au deuxième coup de sonnette.

— Milo Jassy. Je ne vous attendais pas si tôt, vous êtes tombé du lit ! s'exclama Betty Greene.

Elle était vêtue beaucoup plus sobrement que lors de leur récente rencontre, jean, pull, châle jeté sur les épaules.

— J'ai obéi à votre injonction, je suis pressé d'entendre vos révélations. Alors, de quoi s'agit-il, où est Laura ? parvint-il à articuler.

Il avait du mal à contrôler son agressivité. Elle le dévisagea d'un drôle d'air par-dessus ses demi-lunes.

— Laura a un petit problème, dit-elle doucement, nous allons l'aider à le résoudre. Entrez, je vais vous expliquer.

Il la précéda dans une vaste pièce peuplée d'une profusion d'animaux empaillés. Il fit quelques pas en direction d'un pseudo-Delacroix représentant un harem d'opérette.

— Affreux, n'est-ce pas ? dit Betty Greene. Pourtant, il paraît que cette croûte a crevé le plafond des enchères, avancez un prix.

— Je ne suis pas venu pour une expertise, je veux savoir ce qui se passe !

— Détendez-vous, Milo, nous allons y venir. Mettez-vous à l'aise, je vais chercher du café. Ah, ne faites pas attention au bruit, les voisins refont leur appartement.

Il se débarrassa de sa canadienne. Tournée vers lui, l'odalisque grassouillette du tableau souriait vaguement sans prêter attention aux offrandes de quatre négrillons enturbannés. Il entendit un craquement, tourna vivement la tête et vit Betty Greene brandir une bouteille à bout de bras. Dans un élan impulsif il se plia en deux mais il était trop tard. Un coup brutal s'abattit sur sa nuque, un flash fulgurant l'éblouit, les négrillons explosèrent. Il eut la sensation d'être projeté en l'air pendant un temps infini. Puis il tomba, heurta le sol et sentit une piqûre lui mordre la cuisse. La lumière faiblit, s'effaça, absorbée par un rideau noir.

Milo souleva les paupières. Il ne savait pas où il se trouvait. Ses oreilles bourdonnaient, une douleur aiguë battait sous son crâne. Autour de lui flottaient des têtes d'antilopes, un félin tacheté le fixait de ses prunelles mordorées. Il devait rêver. Ou être en proie au délire. Il tenta de se redresser et prit conscience de la position bizarre de son corps. Il était à plat ventre, ses poignets et ses chevilles entravés, reliés par un jeu compliqué de cordes, ne lui permettaient qu'un lent mouvement de reptation. Un élancement lui déchira les épaules. Ce n'était pas un rêve. Dans un rêve, on ne souffre pas.

Au prix d'efforts pénibles il parvint à rouler de côté. Il distingua une procession de taches rouges et noires ondulant sur un fond flou. Il cligna des paupières, se demandant s'il était devenu subitement myope. Petit à petit les contours des taches se précisèrent. Des insectes, cela ressemblait à des insectes. Son champ de vision s'élargit. Un masque pâle le contemplait. Une bouche trop rouge s'ouvrit sur un chuintement d'eau qui bout.

— Bien dormi, mon chou ?

De quoi parlait cette voix si peu audible qu'elle paraissait naître en lui ? Encore des choux ?

« Genou, caillou, hibou, pou… » récita un petit garçon debout au tableau noir devant Mme Noblet qui l'hypnotisait de ses yeux de cobra.

Milo commençait à percevoir un visage, celui d'une femme. Il était sûr de la connaître sans pouvoir lui donner un nom. À force de les fixer, il réalisa que les bestioles bicolores étaient des bêtes à bon Dieu imprimées sur un foulard noué autour d'un cou. S'éveilla le souvenir d'une comptine venue du lointain pays de l'enfance.

Faire pipi su' l'gazon pour embêter les coccinelles,
Faire pipi su' l'gazon pour embêter les papillons !
Pipi gazon papillon coccinelle,
Pipi gazon coccinelle papillon !

Il rit intérieurement.

J'ai dû écluser, c'est ça, j'ai bu, je suis pinté, c'est le delirium tremens…

Alors qu'il divaguait, une autre partie de son cerveau travaillait à toute allure sur les données de la situation. Une idée insensée cristallisait. Ce foulard, il l'avait déjà vu, plaqué sur un crâne, dans un escalier sombre aux relents de graillon.

— Charline Crosse, balbutia-t-il.

— Compliments, Milo, vous parvenez à être brillant même après un gros dodo. Charline Crosse, Amélie Nogaret, Bonnet de laine sont quelques-uns de mes plus beaux rôles. Dommage que vous n'ayez pas rencontré Lady Priscilla, elle vous aurait emballé. Il est vrai que j'ai eu un professeur hors pair : Marijo m'a beaucoup aidée. Marijo, ça ne vous dit rien ?

Tout en parlant, Betty Greene lui colla une large bande de sparadrap sur la bouche, vérifia la solidité de ses liens.

— Voilà, c'est mieux ainsi, je déteste être interrompue. (Elle s'assit près de lui, alluma une cigarette.) Je vais vous raconter une histoire, comme le faisait certainement votre maman après vous avoir bordé. Il était une fois, mon cher Milo, une jeune femme nommée Marijo qui rêvait de monter sur les planches. Un jour, elle rencontra le prince charmant, elle en tomba aussitôt amoureuse. Hélas, au bout de quelques mois, son prince l'abandonna. Nourrissant l'espoir de le reconquérir, elle se lança alors à corps perdu dans le travail. Elle partit en tournée. Trois mois de représentations, de salles des fêtes en maisons de jeunes. Lorsqu'elle revint à Paris, le prince avait succombé aux charmes fadasses d'une petite provinciale. Marijo ne renonça pas. À la longue, son prince finirait bien par se lasser de sa bergère, ou la bergère passerait sous un autobus… La chance finit par lui sourire. Si ma mémoire est bonne, c'était en mai, il y a dix ans. Écoutez bien, Milo, vous allez comprendre… Une belle journée égayait les rues. Pour la première fois depuis longtemps, Marijo se sentait comblée. Elle venait de décrocher le rôle de Rebecca West dans *Rosmersholm* d'Ibsen. Une nouvelle vie s'ouvrait devant elle, de l'argent, un studio confortable. Elle était saisie par la fièvre des projets. Elle allait réussir. Il fallait vous annoncer la grande nouvelle. Elle passa sur le quai, vous n'y étiez pas. Elle laissa un mot à l'un de vos voisins. Dès le lendemain vous l'appeliez au théâtre pendant une répétition. Vous l'avez presque suppliée de venir dîner chez vous le soir même. Nelly était absente, quelle merveilleuse opportunité !

Milo sentit son estomac se contracter. Cette histoire et sa vieille culpabilité lui étaient sorties de la tête.

Il retourna dix ans en arrière, au printemps. Nelly et Roland séjournaient chez leur mère, à Grenoble. Seul, un peu déprimé, il vivait avec une étrange excitation sa liberté retrouvée. L'existence de Nelly devenait presque irréelle. Quand Marijo l'avait relancé, la perspective de la revoir avait provoqué un trouble à la fois pénible et agréable. En l'invitant chez lui, il avait conscience de mal agir, de trahir son amour pour Nelly, mais il ne pouvait ni ne voulait dominer la violente pulsion sensuelle qui l'animait. Refusant d'écouter ses scrupules, il attendit avec impatience, écœuré de cette envie qui le révélait à lui-même, mais déterminé à ne pas brider ses fantasmes.

Marijo ne vint pas. Il reprit conscience au milieu de la nuit. Il pensa qu'elle avait dû téléphoner ou frapper à la porte et qu'il n'avait rien entendu. Il se leva, la chambre se mit à valser autour de lui, il grelottait, il transpirait. Il voulut s'accrocher à un meuble, perdit connaissance et cessa d'exister. Quand il émergea du néant, à l'hôpital, il avait perdu trois semaines de sa vie.

Milo leva les yeux. Betty Greene l'observait d'un regard fixe, presque dément.

— Souvenez-vous, mon chou, murmura-t-elle, vous avez demandé un petit service à Marijo. Il s'agissait d'aller chercher un livre et de vous l'apporter, c'était sur son chemin, rue des Taillandiers, un magasin de brocante. Roland y avait vu un Jules Verne, le marchand en voulait trois cents francs. Marijo pouvait-elle vous les avancer ? Ça ne vous branche pas, Milo ? Non ? Je vais vous rafraîchir la mémoire.

Betty Greene écrasa sa cigarette et s'adossa contre l'ottomane en souriant.

— Marijo est allée rue des Taillandiers. La vitrine sombre ne laissait rien deviner du contenu de la boutique. Le bec-de-cane était sur la porte, elle est entrée, elle a appelé. Personne. Elle a regardé autour d'elle, l'espace était bourré d'un invraisemblable bric-à-brac dominé par un énorme vaisselier poussiéreux. Au bout d'un moment elle s'est impatientée, elle a fureté à droite et à gauche, ouvert des tiroirs, des cartons à dessins. Elle a remarqué un gros volume rouge sur une étagère. C'était le livre en question : *Vingt Mille Lieues sous les mers*, entouré d'une ficelle. Un Post-it collé sous le titre indiquait « Pour Roland Fresnel ». Elle a de nouveau appelé, toujours personne. Elle a sorti trois billets de cent francs, griffonné un mot : « En paiement du Jules Verne », suivi de la date, de l'heure, et placé le tout bien en vue. À l'instant où elle glissait le livre dans sa sacoche, elle a entendu un bruit provenant du couloir qui menait vers l'arrière-boutique. Elle s'est faufilée entre les empilements de meubles. Le son était ténu. Brusquement, surgie de l'obscurité, une tempête s'est abattue sur son visage, un tourbillon mou, frémissant : des plumes, des centaines de plumes évadées d'un traversin crevé, en souffrance en haut d'un buffet bancal. Elle a perdu l'équilibre, le contenu de sa sacoche s'est éparpillé. À quatre pattes elle a ramassé ses affaires à tâtons. Sa main s'est posée sur une matière visqueuse. Elle a poussé un cri, s'est penchée. En partie dissimulé derrière un coffre-fort gisait le corps encore tiède d'un vieux bonhomme, les yeux ouverts, le front, les joues, le cou barbouillés de sang. Elle est restée sans réaction. Une voix d'enfant venue de l'extérieur l'a tirée de son apathie.

« — Laura, sale tricheuse, t'es dans la boutique à Léonard, ce sera dit, je joue plus !

« Marijo a tourné la tête. Dans un triangle de lumière tamisée venue d'un cagibi où pendant une faible ampoule électrique, elle a vu une gamine. La gosse a fait volte-face, s'est emmêlé les pieds, est tombée de tout son long. Marijo a tendu la main, lui a effleuré l'épaule. La gamine s'est aussitôt dressée en hurlant et ruée vers une porte derrière laquelle elle s'est claquemurée.

Betty Greene s'accroupit sur les talons. Son visage entra dans l'angle de vision de Milo. Elle le considéra d'un air faussement navré.

— Laura, Laura, chuchota-t-elle, la gamine s'appelait Laura, Milo. Vous la connaissez, sa silhouette s'est passablement améliorée depuis ce temps, des creux, des rondeurs, tout ce qu'il faut. Au fait, vous ai-je dit que je suis l'artisan de votre rencontre ? Vous pourriez me remercier.

Elle fut prise d'un rire trop aigu, qu'elle étouffa d'un coup en retroussant les lèvres. De nouveau elle le toisait d'un air halluciné.

— Je jouais sur du velours en vous envoyant rue des Patriarches. Je savais que vous succomberiez à ses charmes, c'est votre type de femme, Marijo m'a mise au parfum. Vous avez toujours eu un faible pour les petites salopes à l'aspect angélique, n'est-ce pas ? Et puis vous frôlez la quarantaine, rien de tel qu'un peu de chair fraîche pour oublier qu'on prend de la bouteille.

Milo respirait péniblement, l'air commençait à lui manquer. Le choc l'avait tétanisé. Laura, Marijo, le brocanteur, Jules Verne, cela n'avait aucun sens. Que lui avait dit Dietrich ? Elle a assisté au meurtre en direct... Elle devait avoir douze ou treize ans... Elle jouait à cache-cache avec les enfants de ma fille...

Il garda si longtemps les yeux clos que Betty Greene le crut évanoui. Elle le secoua sans ménagement, l'invectivant d'une voix stridente.

— Ça suffit ! Je n'ai pas terminé, Milo, soyez attentif ! Marijo s'est précipitée à l'extérieur. Elle a heurté une grosse femme qui promenait son chien. La femme l'a violemment repoussée et lui a arraché son écharpe. Marijo a pu attraper un bus juste avant qu'il ne démarre, elle s'est effondrée contre une vitre. Les rues succédaient aux rues, les carrefours aux carrefours, elle essayait de dompter sa panique, d'ordonner ses pensées. Rien ne prouvait que le bonhomme avait été assassiné, ce pouvait être une mort accidentelle, en ce cas, qu'avait-elle à craindre ? Oui, mais s'il s'agissait d'un meurtre, tout l'accusait : ses empreintes semées un peu partout, son écriture, son écharpe, les témoins... Quand le bus s'est garé au terminus, elle a marché au hasard. Rentrer chez elle ? Hors de question, il fallait d'abord savoir ce qui s'était réellement passé chez le brocanteur. Où aller ? Elle a longé un interminable cimetière jusqu'à un hôtel miteux. Elle s'y est inscrite sous le premier nom qui lui vint à l'esprit, le mien – vous voyez, Milo, je commençais à faire partie de la distribution. Le lendemain, pas l'ombre d'un entrefilet dans les quotidiens du matin. Marijo a erré une bonne partie de la journée entre les tombes du Père-Lachaise. Vers dix-sept heures elle est rentrée à l'hôtel avec une brassée de journaux. L'article figurait en page 4 du *Figaro*. Elle me l'a confié, je vais vous le lire, il s'intitule : *Acte héroïque d'une concierge*. On dirait le titre d'un hymne patriotique, amusant, non ? La suite est encore plus cocasse.

Betty Greene ajusta ses lunettes.

— « Hier en fin d'après-midi, vers dix-huit heures, Émilienne Bagot, soixante-quatre ans, n'écoutant que son courage en dépit d'un douloureux lumbago, a sauvé la vie d'une fillette menacée par l'assassin de M. Aristide Léonard, un paisible brocanteur de la rue des Taillandiers. La police dispose de nombreux indices. Grâce au témoignage de Mme Bagot et de la fillette, les enquêteurs ont tracé le portrait-robot de celui que l'on nomme l'homme à l'écharpe rouge. »

« Un vrai feuilleton, conclut Betty Greene en ricanant, tout y est : la pipelette, la pure colombe, le mystérieux criminel. Seulement la colombe n'était en réalité qu'une petite garce. Savez-vous ce qu'elle a raconté aux flics ? Elle avait vu l'homme à l'écharpe rouge frapper le brocanteur. C'est vilain de mentir, cela mérite une punition. Elle va payer. Vous vous demandez comment ? Patience, mon chou, il faut ménager le suspense, vous n'en serez que plus surpris.

Milo bougea la tête pour alléger le poids de son corps sur sa nuque. Combien de temps cela allait-il durer ? Laura ! Où était Laura ? Il entendit des coups irréguliers frappés contre le mur mitoyen. S'il parvenait à décoller ce maudit sparadrap, il ameuterait les voisins. Il jeta un furtif coup d'œil à la cinglée assise en tailleur près de lui. Elle s'était servi un verre d'orangeade et le leva à sa santé.

— Je vous en aurais bien offert, mais harnaché comme vous l'êtes... Bon, où en étais-je ? Marijo a relu l'article plusieurs fois. Elle est passée des larmes à la colère, de l'abattement à l'incrédulité, elle avait l'impression d'avoir été poussée dans un mauvais polar. Une pensée l'a frappée, si terrible qu'elle l'a aussitôt refoulée : c'était vous, Milo, qui l'aviez envoyée chez le brocanteur. Et voilà que sur la table de nuit elle a vu le livre. Sa couverture ternie d'une tache sombre dégageait une odeur de cave. Une voix lui a soufflé : « C'est du sang, du sang, du sang, je le sais. » Elle a saisi le livre par la tranche, il lui a échappé, est tombé, une feuille dactylographiée a glissé d'entre ses pages : « Première édition cartonnée, 1871, annotée de la main de Louise Michel après son retour de déportation à la Nouvelle-Calédonie. Voir la thèse de L. A. Depierre intitulée *Louise Michel est-elle le véritable auteur de* Vingt Mille Lieues sous les mers* ? récita d'un trait Betty Greene.

Elle fit une pause et reprit d'un ton plus posé :

— Marijo a frissonné. Elle venait de comprendre. Dites-moi, Milo, ça va chercher dans les combien un livre truffé ?

« Que peuvent bien valoir des poèmes manuscrits d'Hugo et de Verlaine ? Et ce cliché unique, vous savez, celui de Louise Michel au côté de Victor Hugo, signé Étienne Carjat, pensez-vous qu'il ait un quelconque intérêt ? Oh, mais je m'excuse, vous désirez sans doute réexaminer de près ces documents.

Milo assimilait lentement ce flot de paroles. Nom de Dieu ! De quoi s'agissait-il ?

Betty Greene se leva, alla jusqu'à un guéridon au fond du salon, revint s'agenouiller à son chevet, lui présentant comme une offrande un grand in-octavo.

— Reconnaissez-vous l'objet ?

Il fallut un moment à Milo pour que ses yeux et son cerveau identifient un Jules Verne passablement défraîchi des éditions Hetzel. Dans sa vie de bouquiniste, il avait manipulé des milliers de livres. Celui-ci n'éveillait rien de particulier. Il frotta sa joue contre la laine rêche du tapis. Perdu dans le temps, sans repères, hanté par le souvenir de Nelly, il voyait se dessiner au milieu des arabesques un visage pétrifié, prisonnier d'un sac en plastique transparent. La vision s'estompa, remplacée par une Nelly jeune et heureuse. Il ferma les yeux, flottant à rebours dans le brouillard du passé...

Nelly monte dans un train. Depuis leur rencontre, c'est la première fois qu'ils se séparent. Le train s'ébranle. Derrière la fenêtre de leur compartiment, Roland et sa sœur agitent la main. Il reste un instant sur le quai, un peu déboussolé, triste comme un orphelin, ému comme un fugueur. Il n'a pas le courage d'ouvrir ses boîtes, encore moins celui d'aller rue des Taillandiers négocier le Jules Verne repéré en vitrine, tôt le matin, par Roland sur le chemin de la gare.

Oui, c'est bien comme ça que ça s'est passé. Je suis rentré à la maison, j'ai prévenu le brocanteur, il a mis le bouquin de côté. Je me sentais patraque, je me suis couché. Le lendemain le grand Maurice m'a téléphoné. Une fille m'avait laissé un message au quai avec un numéro où la joindre. J'ai appelé Marijo. Ce livre, je ne l'ai jamais vu ! Je serais incapable de décrire son contenu, même pour sauver ma vie.

Betty Greene reprit d'une voix dure :

— Alors, Milo ? À première vue on dirait un vulgaire pavé sans valeur. C'est le hasard qui a révélé la vérité à Marijo. Tout devenait clair. Elle s'est demandé qui de Roland ou de vous avait mis au point cette machination. Le Jules Verne devait traîner au milieu d'abominables croûtes, de soupières ébréchées, de vieilles défroques, de meubles estropiés. Avez-vous éveillé la méfiance de Léonard en lui faisant une offre trop juteuse ? S'est-il montré trop gourmand ? Toujours est-il qu'il a refusé de s'en séparer. Alors vous avez élaboré un plan sans faille pour vous en emparer. Seul problème : qui serait le pigeon ? Marijo tombait à pic, elle venait de vous contacter. Vous l'avez jointe au théâtre, elle vous aimait, elle était si heureuse de votre invitation. Vous étiez certain qu'elle serait ponctuelle. Vous avez donné le feu vert à Roland. Après avoir neutralisé le vieux, il a placé le livre bien en vue avec son nom tapé à la machine sur un post-it. Ingénieux. Très ingénieux.

Abasourdi, Milo contemplait les motifs du tapis. Toute émotion semblait morte en lui. Du vide émergea une intense amertume. Quel épouvantable gâchis ! Que ne pouvait-il tordre le cou au scénariste déjanté qui avait bâti un tel échafaudage de quiproquos ! Devant ce tissu d'absurdités, il ne parvenait même pas à détester Marijo pour les conclusions erronées dont Betty Greene se faisait à présent le porte-parole.

Le sang battait à grands coups à ses tympans. Qui avait tué le brocanteur ? Ses pensées s'emballaient, se heurtaient à des murs. Il s'efforçait de conserver sa lucidité. La réponse était en lui, quelqu'un la lui avait donnée, il ignorait quand, mais elle était là, stockée au fond de son cerveau. Mais plus il cherchait, plus il s'égarait dans des impasses.

Les cheveux ébouriffés, Betty Greene évoquait une aliénée dont la voix impassible contrastait avec l'apparence sauvage.

— Vous avez dû vous inquiéter, hein, Milo ? Les heures passaient, pas de Marijo, pas de livre. Vous vous êtes dit qu'elle vous avait doublé. Elle aussi a eu cette pensée. Vous alliez la rechercher, la traquer. La police d'un côté, vous et Roland de l'autre. Sa vie brisée. À la poubelle, ses espoirs d'une carrière théâtrale. Vous l'aviez piétinée, démolie, il ne lui restait rien, personne, nulle part où aller, toutes les issues barrées.

Milo se tortilla. Il n'avait plus de salive, la soif brûlait sa gorge. Malgré la migraine qui pesait sur son front, il s'accrochait aux derniers mots de Betty Greene comme à une bouée. « Les issues barrées », cela évoquait une image, le plan flou d'un film. Le point. Il devait faire le point. « Écoute ton intuition, elle te guide, des barreaux, un soupirail… » Soudain, ce fut là, très net, une cour, une petite fenêtre à barreaux, Dietrich, l'index pointé, expliquant : « La gamine était terrorisée, elle racontait n'importe quoi… "C'est moi, il est mort, je l'ai poussé…" Il est mort, je l'ai poussé… Laura ! Un accident ! C'était un accident…

Si tout cela n'avait pas été aussi terrible, il aurait ri.

La respiration saccadée de Milo emplissait la pièce. Betty Greene lui tapota l'épaule.

— Ce n'est pas la grande forme, vous avez chaud ? On va arranger ça.

Elle se pencha, tira un paquet de dessous l'otto-mane, le déplia lentement puis elle se dressa en agitant un grand sac poubelle bleu. Milo rejeta vivement la tête en arrière.

— Trop d'air, mon chou ? Désolée, sincèrement désolée.

Désolée de quoi ? pensa-t-il. Désolée d'avoir étripé Roland, la concierge ? Désolée d'avoir massa-cré Nelly ?

— La vie a de ces ironies, dit Betty Greene en froissant le sac. Si la petite Laura n'avait pas eu la malencontreuse idée d'aller jouer à cache-cache chez le vieux, Marijo n'aurait jamais découvert son cadavre, vous auriez récupéré le bouquin, vécu heureux et peut-être eu beaucoup d'enfants. Votre Laura a tout flanqué par terre en accusant la pauvre Marijo. J'ai fini par la retrouver. Je suis tenace, chose promise, chose due, elle va y passer, comme les autres, pas de jaloux. Vous aussi, Milo, bien sûr. Mais ne vous faites pas de bile, ajouta-t-elle presque tendrement, je m'arrangerai pour que vous ne sentiez rien, un départ sans douleur à condition d'être très sage ; alors cessez de vous trémousser, compris !

Milo obéit. Ce n'était pas possible. Cette chambre, cette femme, ce cauchemar n'existaient pas.

C'était pourtant possible. Le sparadrap l'étouf-fait, les liens étroitement serrés lui sciaient chevilles et poignets, il pouvait à peine remuer ses doigts engourdis.

Betty Greene lui glissa un coussin sous la nuque. Elle ressemblait à une petite fille témoignant sa solli-citude à un pantin qu'elle s'apprête à démantibuler.

— Vous êtes confortablement installé ? Regardez-moi quand je vous parle. Je continue. Marijo s'est donc souvenue de mon existence. Nous nous étions rencontrées au début de l'hiver, rue de Rivoli, dans une grande librairie. Elle cherchait un roman d'Henry James dont elle avait oublié le titre. Je l'ai aidée à le trouver. Elle m'a invitée à prendre un thé sous les arcades. Très vite, nous nous sommes découvert un goût commun pour les écrivains anglais du XIXe siècle et nous sommes devenues amies. J'avais débarqué en France quelques mois plus tôt, je profitais de la vie et de l'argent légué par mon père décédé l'année précédente. J'avais plaqué l'Alabama, ma ville natale de Jasper, le reliquat de ma famille – une vieille tante gâteuse. Enfin j'allais réaliser mon rêve : rédiger des carnets de voyages sur les traces d'artistes anglo-saxons venus parcourir l'Europe au siècle dernier. Le premier de ma liste était Robert Louis Stevenson, et je comptais louer une maison dans les Cévennes pour y revivre son voyage avec l'ânesse Modestine, une bien brave bête comparée à certains humains. Tiens, c'est comme votre chien. Vous remarquerez que je ne lui ai fait aucun mal, il en a été quitte pour une longue sieste. J'ai expliqué mes projets à Marijo, elle était enthousiasmée. Je n'avais aucune relation en France, elle a été une aide précieuse, elle m'a guidée à travers les bibliothèques, m'a pilotée dans Paris, fait découvrir des musées, des films – elle adorait le cinéma. Quand je me suis enfin décidée à descendre dans le Sud, elle m'a promis qu'elle viendrait me voir à Pont-de-Montvert, mais pas avant l'été, puisqu'elle devait jouer la pièce d'Ibsen dont elle avait décroché le rôle principal.

« Aussi, quand je l'ai vue débarquer un matin de mai, j'ai été ravie mais plutôt surprise. Elle paraissait exténuée. Qu'était-il arrivé pour qu'elle lâche le théâtre ? Elle m'a tout raconté, elle me faisait confiance. Ça vous épate, hein, Milo, qu'après avoir subi une telle trahison on puisse encore se fier à quelqu'un ? Ce que j'apprenais me serrait le cœur. Vous vous étiez servi d'elle. Elle avait la conviction de n'être personne, de n'avoir pas la moindre importance, elle ressentait un sentiment d'insignifiance et de déception si profond qu'elle n'avait plus goût à rien. La peur, la colère, la douleur la tenaillaient, je ne savais comment l'apaiser. Je lui ai promis de la protéger, je lui ai parlé des heures durant. Comment oublier l'atmosphère de cette nuit de mai, Marijo dans son fauteuil, recroquevillée sur sa vie bousillée ? Comment oublier sa souffrance ? Ce soir-là, j'ai décidé d'agir.

« Le lendemain, je lui ai proposé de faire une balade. Elle hésitait à sortir. Je lui ai assuré que là où je l'emmenais, nous ne verrions personne. Elle a fini par accepter. C'était une journée chaude. La route longeait la corniche des Cévennes, au-dessus des Causses, avant de se faufiler dans un bois de châtaigniers pour déboucher sur un plateau. Un pays désertique et solitaire, froissé de plis, de creux, que le vent semble avoir lessivé jusqu'à l'os. Pas de cultures, pas de maisons. J'ai garé l'auto au pied d'un monticule couvert de myrte et de genévriers. Derrière ce maquis s'ouvrait une faille profonde. L'endroit idéal, le moment aussi, juste en fin de matinée, quand le soleil haut perché se fige dans un ciel bleu, presque laiteux. Nous avons contourné la butte, je voulais lui montrer un lieu où Stevenson avait campé. Elle avançait en automate, insensible à tout, murée dans son silence. Nous nous sommes arrêtées entre deux blocs de schiste. Le doigt tendu, je lui ai demandé si elle apercevait les ruines d'un mas, sur la montagne en face. Elle a mis sa main en visière. J'ai reculé, pris mon élan, étonnée que ce soit si facile. Les bras raidis, je l'ai poussée de toutes mes forces. Un choc, rien de plus. En me penchant je l'ai vue, vingt mètres plus bas, tassée sur elle-même au milieu des buissons épineux. Je suis descendue jusqu'à elle, je l'ai touchée du pied, elle n'a pas réagi. J'espérais qu'elle était morte. Mais quand je l'ai retournée sur le dos, j'ai vu que malgré une blessure au ventre – elle s'était empalée sur une pointe granitique –, elle respirait encore. Je lui ai ôté sa bague et ses boucles d'oreilles. Je l'ai soulevée par les épaules, traînée jusqu'à une crevasse. Elle a basculé sans un cri. J'ai soigneusement bouché l'entrée avec de grosses pierres blanches ramassées sur l'herbe rouillée. À la fin, j'avais les mains écorchées et les jambes couvertes d'égratignures. Mais j'étais soulagée. Marijo dormirait en paix, plus personne ne la blesserait. Quand un animal souffre, c'est un devoir de l'achever.

« Je suis retournée à la voiture, j'ai roulé jusqu'à la maison. J'ai brûlé les papiers d'identité de Marijo, jeté ses clés au fond du puits, j'ai conservé le livre et les bijoux. Je suis allée prendre une douche, je me suis allongée, j'ai ouvert *Voyages avec un âne dans les Cévennes*[1], au hasard, persuadée que mon cher Robert Stevenson aurait un mot approprié. Je ne m'étais pas trompée. J'ai lu ceci : "N'avez-vous point de remords pour vos crimes ?

Je n'en ai commis aucun. Mon âme ressemble à un jardin plein d'ombrages et de fontaines."

« J'ai vu Marijo se promener parmi les fontaines, à l'ombre du jardin d'Éden. Elle me remerciait de l'avoir délivrée. Et elle me suppliait de la venger.

1. Éditions 10/18, n° 1201.

Betty Greene colla son visage à celui de Milo.

— Ça vous a plus, mon chou ? Un conte digne des frères Grimm, n'est-ce pas ? Mais ce n'est pas fini. Dans un conte, il y a toujours une morale.

Milo serra les poings. Son cœur lui remontait dans la gorge.

— Vous vous demandez sans doute où est Laura ? reprit Betty Greene. Juste à côté, bouclée dans un placard, après avoir goûté un philtre de ma composition. Rassurez-vous, elle respire encore. Vous l'entendez taper ? Nous avons tout prévu. Rien ne pourra effacer le scénario que nous avons écrit, pas même l'amour que tu lui portes. Tu es impuissant, c'est la fin, elle va mourir. Ta Laura va mourir, Milo.

Milo eut un sursaut de terreur. Betty Greene s'était muée en une Parque infernale. Sa voix basse, haletante, se dépouillait de ses inflexions modulées, perdait son accent, montait dans les aigus, explosait en phrases courtes et chuintantes pareilles aux crachements d'un animal. Oh, mon Dieu, Laura, Laura. Les bruits dans l'appartement mitoyen, c'était elle, frappant contre la cloison. Des coups de plus en plus faibles, de plus en plus espacés. Il se tordit frénétiquement.

— Arrête de gigoter comme un ver de terre, ta mort n'est pas la fin du monde, il tournera sans toi.

Milo roula sur lui-même. Son bâillon étouffait ses grognements. Il sut à cet instant qu'il pouvait éprouver de la haine. Jamais il ne haïrait personne plus intensément que cette femme. Il souleva ses jambes ligotées et les projeta de toutes ses forces vers Betty Greene. Elle lâcha un juron obscène et lui balança un coup de pied dans les côtes. La douleur lui coupa le souffle, ses yeux se remplirent de larmes, il coula.

Il reprit conscience en respirant une odeur âcre. Assise jambes croisées à son chevet, Betty Greene l'observait en agitant une cigarette sous son nez. Elle passa un doigt sur ses joues humides.

— Là, tout doux, tu m'y as forcée. Qui aime bien châtie bien, mon père me l'a assez répété quand j'étais petite.

Milo demeurait inerte, les yeux rivés au mur derrière lequel s'asphyxiait Laura. Il devait réussir à ôter ce bâillon. Il tourna la tête et pointa sa langue contre le sparadrap pour humidifier le bord du tissu.

— Ce n'est pas encore le moment de dormir. Regarde-moi.

La voix stridente le paralysa. Penchée sur lui, Betty Greene lui soufflait à la figure la fumée de sa cigarette. Il replia les jambes afin de donner du mou à ses liens et put avancer ses mains vers sa bouche. Le sparadrap se décolla juste avant que Betty Greene ne le frappe au visage. Il sentit le chaton de sa bague lui entailler la tempe. Un liquide tiède coula jusqu'à la commissure de ses lèvres. Un cri monta de sa gorge, s'étouffa dans un gargouillis. Une douleur lancinante lui brûlait le torse.

— Ferme-la ! Elle ne peut pas t'entendre, imbécile ! vociféra-t-elle en le martelant de ses poings. Pourquoi m'obliges-tu à te faire mal ?

Milo n'avait plus envie de lutter. La fatigue et la douleur lui brouillaient la vue. Betty Greene continuait d'égrener ses menaces. Le ton de cette voix lui était familier. Il connaissait ce chuintement qui l'avait déjà intrigué rue d'Hautpoul. Cette femme. Il y avait quelque chose qui sonnait faux.

Cela lui rappela un vieux film vu à la télé, une sombre histoire grouillante de créatures qui volent l'enveloppe charnelle des humains pour envahir la terre, si bien que très vite on ne sait plus qui est qui.

Il observait Betty Greene aller et venir dans le salon. On eût dit qu'elle s'exerçait à un rôle longuement travaillé. De temps en temps elle rejetait la tête en arrière comme pour chasser une mèche invisible. Une impression de déjà vu, quelque chose d'intime et d'étrange qu'il ne parvenait pas à saisir.

Cela lui tomba dessus brutalement. Sa poitrine se contracta, il alla chercher de l'air jusque dans ses chaussettes.

Cette voix, c'était sa voix.

Son allure était différente, sa silhouette exsangue ne ressemblait en rien aux courbes voluptueuses de l'autre. Avait-elle eu recours à la chirurgie esthétique ? Nez plus court, lèvres moins ourlées.

Les années s'effacèrent, un flot de souvenirs l'assaillit. Il douta. Ce ne pouvait être vrai. Mais il y avait sa voix. Elle débitait toujours ses propos haineux, évoquant par le menu la fin de Roland, celle de Nelly, simples comparses dont la punition n'était qu'un hors-d'œuvre en attendant le plat de résistance désiré depuis si longtemps : l'apogée de sa souffrance à lui, frappé à travers la lente agonie de Laura.

Il devait parler, avant qu'elle ne le muselle à nouveau, inventer les mots capables d'enrayer ce processus, ne pas commettre d'erreur, deux vies étaient en jeu.

— Heureux de te revoir, Marijo ! lança-t-il d'une voix enrouée.

Betty Greene pivota lentement, les yeux dilatés. Sa respiration oppressée l'obligea à porter les mains à sa poitrine. Son assurance s'évanouissait.

— Pourquoi me confonds-tu avec un fantôme ? murmura-t-elle. Tu sais bien que Marijo est morte, je l'ai tuée.

Elle le regardait intensément, quêtant son approbation. Il comprit qu'il avait fait mouche.

— Tu es une actrice remarquable, Marijo, mais tu ne peux m'abuser. Où est Betty ?

— Betty ? Betty… elle va mal, Betty, très mal. Elle ne sait plus où elle en est, alors je lui sers de doublure.

— Ton talent surpasse le sien, Marijo. Tu es toujours aussi belle, comme autrefois, dit Milo d'une voix rassurante.

Il essayait de libérer ses chevilles.

— Oui, comme autrefois, mon amour, soufflat-elle d'un air absent. Le temps s'est détraqué, il nous a séparés.

— Non, Marijo, tu te trompes, nous sommes hors du temps. Si nous nous réveillons, nous partirons en fumée, nous ne sommes pas réels.

Pendant un bref instant elle resta médusée, puis ses genoux se dérobèrent, elle glissa lentement vers le tapis, face à lui.

— Non, non, je suis vivante, balbutia-t-elle, je suis vivante, j'ai des souvenirs.

Le visage d'une femme au volant d'une Land Rover. Cette grande Américaine desséchée l'exaspérait avec sa pitié geignarde. C'était presque trop beau, cette soudaine envie de lui montrer le lieu où son Stevenson chéri avait bivouaqué, une étendue déserte, une pente empierrée. L'idée avait germé lentement. Dès le moment où la voiture s'était engagée le long de la corniche, elle avait su comment échapper au danger obscur qui la talonnait. Pareille à un serpent, elle allait changer de peau. Celle de Betty Greene s'offrait à elle. Il suffisait de la pousser...

Elle la poussa. Son corps roula au fond de la combe, poupée disloquée. Il fallut le rejoindre, le traîner jusqu'à la fente entre les rochers, le faire disparaître à l'intérieur d'une gueule sombre. Puis des pierres, encore des pierres pour sceller le secret. Le tour était joué. Marijo pouvait s'éclipser. Désormais elle serait Betty Greene, une Américaine sans attaches, dotée d'une liasse de traveller's chèques, d'un compte à New York, de papiers d'identité, d'un visage neutre qui se prêterait à tous les maquillages.

Figé sous la chaleur, le Causse bruissait du fredon des insectes. Elle tourna la clé de contact, scruta son reflet dans le rétroviseur.

— Salut, Betty, dit-elle.

Avait-elle imaginé cet épisode ? S'était-il vraiment produit ? Que faisait-elle assise par terre ? Qui était cet homme aux vêtements déchirés ? Elle éprouvait un sentiment de panique. Ce murmure sous son crâne... Elle se mit à chantonner en se balançant d'avant en arrière : *Lisa, Lisa, sad Lisa, Lisa...* Ses traits se crispèrent.

— Il faut que ça s'arrête, gémit-elle.

— Qu'est-ce qui doit s'arrêter ? demanda Milo en faisant furtivement coulisser la corde qui retenait ses poignets.

— Elle m'appelle, elle me supplie, je l'entends, je voudrais l'aider, je ne peux pas. Ma tête m'ordonne : « C'est ta chance, tue-la ! » J'ai froid, si froid ! (Hypnotisée, elle fixait la chemise de Milo.) Du sang, c'est du sang ! Tant de sang… Je me souviens…

— Crois-tu que ces souvenirs t'appartiennent, Marijo ? murmura Milo. Ce sont peut-être ceux de l'actrice qui incarne ton rôle, ou encore ceux de l'auteur qui a écrit la pièce. Es-tu sûre de savoir qui tu es ?

Elle ouvrit la bouche, son regard se vida de toute expression. Une gigantesque lame s'abattait sur elle, la rejetant au milieu d'un sol lunaire hérissé d'aspérités, semé d'éboulis.

— Ai-je tué Betty ? Ai-je effacé Marijo ? Qui suis-je ? Je ne suis personne, rien, Nemo, j'ai rompu avec la société tout entière.

Elle se sentait sans plus de consistance que la rouquine, Charline Crosse ou Bonnet de laine. Seule une petite phrase peinte en rouge sur un ciel bleu laiteux la rattachait à cet univers nébuleux : « Mon âme ressemble à un jardin plein d'ombrages et de fontaines. »

Des coups répétés ébranlaient la porte d'entrée. Quelqu'un criait :

— Milo ? T'es là ? C'est moi, Henriette !

Elle se leva, alla vers le vestibule d'une démarche mécanique, tira le verrou, ouvrit. Une blonde essoufflée, échevelée, les joues en feu, s'écria :

— Il est là, Milo ?

Elle s'écarta pour la laisser passer, sortit sur le palier. Elle n'était personne.

Elle pencha le buste au-dessus de la cage d'escalier, échappée profonde plongeant vers l'inconnu. En bas, tout en bas, la boule de cuivre de la rampe luisait faiblement.

Rideau. La représentation est terminée. Les acteurs enlèvent leurs fards, ôtent leurs costumes, leurs personnages retournent aux limbes.

Pendant les secondes qui la séparaient du sol, Marijo entendit la voix du capitaine Nemo lui souffler à l'oreille : « Adieu soleil, couche-toi sur cette mer libre. »

13

Quelques mois plus tard, au printemps…

Leurs mains se touchaient, se caressaient, effleuraient une nuque, un sein, une cuisse, elles étaient partout bienvenues. Le jeu devint plus tendre, les lèvres se rencontrèrent légèrement, puis avec force. Parfois un mot chuchoté se perdait dans le noir, revenait, prononcé encore et encore, et les doigts jouaient sans fausse note. La joie d'être sensibles, à l'affût, devenait intense. Il fallait se rapprocher davantage, appréhender ensemble le plaisir à venir. Il se perdit en elle. Il était impatient, alerte, il dérivait avec souplesse. Elle le posséda aussi totalement qu'il la possédait, et leur envol ouvrit la porte à d'infinies possibilités, elle sut qu'elle était capable de toutes les audaces.

Laura bascula mollement sur le côté. Milo dormait la bouche ouverte, à la limite du ronflement, le visage à demi masqué par sa tignasse en désordre. La chambre était vaguement verdie par la lumière filtrant à travers les feuilles du philodendron.

Elle apercevait le désordre de la pièce fourre-tout, vêtements épars, livres en vrac, piles de disques. Les assiettes de la veille traînaient sur la table. Elle aimait cette improvisation de chambre d'hôtel, cet air de voyage où les jours et les nuits ne sont pas comptés en heures. Elle aimait les murs tapissés de bouquets de violettes répétés à l'infini.

Elle froissa les oreilles de Lemuel allongé de tout son long sur les jambes de Milo.

— Pousse-toi, le chien.

Lemuel se redressa, tourna plusieurs fois sur lui-même avant de s'affaler sur le ventre de son maître avec un instinct de propriétaire.

Milo gémit. Sa respiration se fit lourde. Elle l'écoutait en se répétant combien elle était heureuse. Le meilleur, c'était la tendresse qu'il lui inspirait en l'aimant, la protégeant. Elle posa sa joue au creux de son épaule, respira son odeur.

Dans son rêve, Milo luttait contre l'étreinte d'un céphalopode géant qui l'entraînait plus bas, toujours plus bas sous la mer. Le colossal poulpe rougeâtre aux yeux glauques l'enserrait de ses tentacules et, bien qu'il se sentît étouffer, Milo ne pouvait s'empêcher de lui trouver une ressemblance troublante avec le mari de Corinne Levasseur... Il se réveilla au bord de l'asphyxie et découvrit Lemuel étalé en travers de son estomac.

— Du balai, affreux.

Il replia les genoux, se mit en cuiller contre la chaude nudité de Laura et enfouit son visage dans ses cheveux.

— Milo ?

— Oui.

— Tu crois que nous serons toujours aussi bien ?

Il la retourna doucement, pressa sa poitrine contre ses seins, fit glisser ses mains le long de ses reins.

— Je me nourris de contes de fées et de lendemains qui chantent.

Il lut l'angoisse au fond de ses yeux. Il savait ce qui la tourmentait.

— N'y pense plus, Laura. On ne peut pas remonter le temps pour changer ce qui s'est passé. C'était un accident, tu n'y es pour rien. Et puis si ça n'était pas arrivé, je ne t'aurais jamais rencontrée. Toi et moi, nous allons jeter nos remords et nos soucis par-dessus les toits, d'accord ? On efface tout et on recommence. Je t'aime.

— J'ai peur.

— De quoi ?

— Ce livre. On devrait peut-être s'en débarrasser, il porte la poisse.

Il s'appuya sur un coude, la regarda en souriant.

— C'est fait.

— Tu l'as jeté ?

— Non, vendu, une bouchée de pain. De quoi t'offrir un voyage, à condition de ne pas dépasser la grande banlieue. Tout était faux ! Les documents, la photo, tout. Textes authentiques, mais écritures et signatures soigneusement imitées. Du joli travail. Quant au soi-disant cliché d'Étienne Carjat, rien de plus qu'un habile trucage. Même les annotations attribuées à Louise Michel sont apocryphes, et la fameuse thèse de L. A. Depierre, une pure invention. Louise Michel n'a jamais écrit le manuscrit de *Vingt Mille Lieues sous les mers*. Celui qui a truffé le Jules Verne était un faussaire ou un mystificateur. Ce bouquin a dû dormir près d'un demi-siècle au fond d'un appartement avant que les derniers héritiers décident d'en bazarder le fatras entassé par plusieurs générations. Aristide Léonard a emporté le tout pour quatre sous, le livre a échoué dans sa vitrine, Roland l'a remarqué et... tu connais la suite. Tu sais, ce n'était même pas une des premières éditions cartonnées. Je m'en suis douté quand j'ai vu la couverture. Le Hetzel de 1871 est d'un aspect légèrement différent. Un de mes clients collectionne ce genre de mouton à cinq pattes, il était ravi, mais il ne m'en a donné que ce que vaut un faux. Voilà, nous ne sommes riches que de notre amour. Où veux-tu aller camper ? Chatou ? Le Vésinet ?

— Emmène-moi à Cythère.

— Par bâbord, en avant, toutes !

Il l'enlaça, posa sa bouche sur la sienne, l'emporta dans les profondeurs du lit.

En sentant le matelas devenir épileptique et entamer une danse de Saint-Guy, Lemuel comprit qu'il n'était pas près de recevoir sa pitance. Ils avaient recommencé. Résigné, il se traîna dans la salle de bains et se roula en boule sur un tas de serviettes. Qui dort dîne.

Soudain, un bruit désagréable se répercuta le long de son échine. Quelqu'un cherchait à enfoncer la porte d'entrée. Ses oreilles se mirent au garde-à-vous.

On tapait avec insistance. Une voix venue du palier brailla :

— Elle marche plus, cette foutue sonnette ! Milo, t'es là ?

À pas feutrés, Lemuel trottina vers la chambre à coucher. Ils allaient sûrement arrêter de se trémousser, ils allaient se lever, il allait manger.

La literie oscillait toujours. Défiant l'injustice du sort, Lemuel fit résonner l'appartement d'une longue plainte funèbre.

Suffoquant, Milo vint aspirer une goulée d'air à la surface, replongea sous la couette pour réapparaître aussitôt.

— Oh non, protesta Laura, tu n'es pas là.

— C'est peut-être important, juste un aller-retour, dit-il en attrapant son slip.

— Je ne veux voir personne, cria-t-il. Qui est-ce ?

— Ben, c'est moi !

Stella entra en le bousculant.

— Non mais t'as vu l'heure qu'il est ? Affole-toi un peu, Milo, on est à la bourre !

Le spectacle qui s'offrait à lui était tellement inattendu qu'il sentit se dresser les poils de sa nuque.

Stella. Stella surmontée d'un bibi à voilette, drapée dans une robe à falbalas, perchée sur des talons aiguilles. À son côté se tenait, tout raide, un croque-mort en haut-de-forme.

Scarlett O'Hara et Fred Astaire ?

— C'est déjà Halloween ?

— Enfin, Milo, me dis pas qu't'as oublié ! Oh, salut Laura ! Fais attention, cocotte, tu vas choper un rhume. Selim, tourne la tête et va m'attendre dehors.

Dissimulant sa nudité derrière un oreiller, Laura croisa le regard exorbité du croque-mort et pouffa.

— Oublié quoi ? lança Milo d'un ton impatient.

— La noce à Henriette, merde ! Faut faire fissa, sapez-vous en vitesse. Vous êtes nos témoins, c'est à treize heures tapantes qu'on se marie ! Diego et Bachir sont en bas, ils en ont marre de poireauter.

— Bon sang de bonsoir ! s'exclama Milo.

— Grouillez-vous. Dans dix minutes sur le trottoir.

— Ça m'était sorti de la tête ! constata-t-il quand la porte se fut refermée. Laura ?

Pour toute réponse il n'y eut que le jet de la douche. Plein d'espoir, Lemuel traçait des cercles de plus en plus rapprochés autour de Milo, qui marcha à grands pas vers le frigo, se baissa, ramassa une paire de chaussettes jetée en boule contre le mur. Le fox en demeura pantois.

Bobby sur les talons, Blaise le Branchu remontait la rue de Lyon à petits pas. Il rêvait qu'il était jeune et se baladait en tandem en compagnie d'une jolie brunette aux boucles folles quand une bruyante ovation le rejeta sur les pavés de la rue Crémieux. Planté au milieu de la chaussée, un rayon de soleil éclairant son crâne dégarni, il contempla l'attroupement au pied de son immeuble. Il reconnut Milo Jassy et l'Arabe à la valise, vêtu comme un garçon de café, tenant par la taille une montgolfière blanche au visage trop maquillé. Il y avait aussi une maigrichonne en pantalon bardée d'appareils photo, l'autre Arabe serveur à la gare de Lyon, un porteur d'accordéon, Corinne Levasseur, son sinistre mari et leurs rejetons dans leur poussette à deux places. Tout ce joli monde trinquait autour d'une table de camping sur laquelle s'alignaient des bouteilles de champagne. Blaise le Branchu en eut le souffle coupé : ses soupçons étaient confirmés, il n'avait plus aucun doute sur les mœurs dissolues de son voisin du dessous. La bamboula, passe encore, mais en pleine rue ! Il s'apprêtait à battre prudemment en retraite quand Milo l'interpella.

— Monsieur Le Branchu, venez donc trinquer avec nous pour enterrer deux vies de célibataires !

Le visage renfrogné, Blaise Le Branchu répondit par un énergique geste de dénégation, regardant avec horreur la montgolfière verser le fond de sa flûte dans une soucoupe que Lemuel s'empressa de venir laper.

— Allez, ne vous faites pas prier, monsieur Le Branchu, et amenez donc Bobby ! clama Bachir.

— Oui, oui, Le Branchu avec nous, Le Branchu avec nous ! reprirent en chœur les invités.

Rouge de confusion, car déjà des fenêtres s'ouvraient et des têtes se penchaient, le vieil homme s'approcha de la table à contrecœur. Bobby tirait sur sa laisse, alléché par la soucoupe.

— Toi aussi t'en veux, mon toutou ? émit la montgolfière d'un ton attendri.

— Pas question ! siffla Blaise Le Branchu.

— Oh, mais pauv'bête, qu'est-ce qu'il a ? C'est un accident ?

— Ça, c'est un queuton, rétorqua vivement Bachir. C'est supposé améliorer l'esthétique canine.

— Ben v'là aut'chose, je l'avais entendu dire, qu'on coupait la queue des chiens, mais j'l'avais jamais vu. Vous devriez avoir honte ! Et si on vous en f'sait autant ? débita Stella à la figure de Blaise Le Branchu.

Celui-ci se redressa d'un air digne et grommela entre ses dents :

— Vaut mieux avoir un queuton qu'une cirrhose.

L'accordéon se mit en branle, Selim prit Stella par la taille et l'entraîna dans une valse, pendant que Corinne Levasseur tournoyait avec Perceval sous le regard inquiet de son mari. Laura posa ses appareils et tendit la main à Milo. Au même instant, un facteur à bicyclette déboucha dans la rue et s'arrêta devant Bachir.

— Pardon, monsieur, vous pouvez peut-être me renseigner, j'ai une lettre pour un certain monsieur Iassy, ou Tassy, à moins que ce ne soit Lassy, je n'arrive pas à bien à lire, et en plus ils ont oublié de préciser le numéro.

Milo s'arrêta net au milieu d'une pirouette, échangea avec Laura un regard inquiet et, avant que Bachir ait pu ouvrir la bouche, s'écria :

— Milo Jassy ? Il a déménagé sans laisser d'adresse !

n° 3505 - 7,50 euros

À l'Exposition universelle de 1889, des visiteurs du monde entier se pressent autour de la vedette du moment, la tour Eiffel. Victor Legris, libraire rue des Saints-Pères, se joint à la foule pour un rendez-vous, quand une femme s'écroule sous le coup d'une étrange piqûre. Et la série de morts qui s'ensuit risque de faire basculer à jamais toutes ses certitudes…

Cette première enquête de Victor Legris nous plonge avec délice dans la capitale des impressionnistes, ses « villages » et ses quartiers populaires.

n° 3941 - 8,10 euros

En ce matin de janvier 1894, l'octroi des abattoirs fait peser sur la Villette une ombre plus sinistre que jamais : à quelques mètres à peine, une femme gît étranglée. Victor Legris, l'intrépide libraire de la rue des Saints-Pères, est bien déterminé à traquer la vérité coûte que coûte. Avec, pour seuls indices, un témoin douteux et un étrange médaillon…

La gouaille de Claude Izner enchante le Paris fin-de-siècle dans cette aventure de l'épatant duo de fins limiers.

n° 4449 - 8,80 euros

Paris divisé gronde et se passionne pour le procès du siècle : l'affaire Dreyfus. Tandis que Zola rédige son célèbre *J'accuse*, Victor Legris et Joseph Pignot se trouvent mêlés malgré eux à une série de meurtres qui frappent bouquinistes et habitués du quai Voltaire. Dans cette ambiance délétère, les deux hommes tentent d'assembler les pièces éparses d'un bien étrange puzzle.

« Pour nous faire voyager dans le temps, Claude Izner utilise la machine la plus fiable qui soit, celle de la langue. Elle nous transporte en un instant magique au coeur du Paris populaire. »
Thierry Hubert - *Le Dauphiné libéré*

MIXTE
Papier issu de
sources responsables
FSC® C003309

10/18, une marque d'Univers Poche,
est un éditeur qui s'engage pour
la préservation de son environnement
et qui utilise du papier fabriqué à partir
de bois provenant de forêts gérées
de manière responsable.

Impression réalisée par

BRODARD & TAUPIN

La Flèche (Sarthe), 71733
Dépôt légal : février 2013
X05932/01

Imprimé en France